D1133373

NOS AMIS
DES CONFINS

SYLVIE DOIZELET

NOS AMIS
DES CONFINS

roman

ÉDITIONS DU SEUIL
27, rue Jacob, Paris VIe

ISBN 978-2-02-099041-7

© Éditions du Seuil, avril 2009

www.editionsduseuil.fr

le ciel s'assombrit, le ciel se remplit,
une coupe prête à déborder,
le ciel est violet, le ciel est en feu,
noirceur, bruit, déferlement.

Christina Rossetti, *Les Mois*

— Voulez-vous visiter maintenant ?
— Cela me ferait très plaisir, mais...
— J'ai justement une heure à vous consacrer.
— Je suis désolée, mais je dois rentrer. J'ai laissé...
— Demain, à la même heure ?
— Ce serait parfait.
— À demain, alors.

Qui donc a-t-elle laissé, cette jeune Américaine ? Un nourrisson, gardé par une baby-sitter inconnue qui ne saura pas l'empêcher de s'égosiller et s'étouffer ? Une mère qui n'a plus toute sa tête et risque de sortir et se perdre dans les rues voisines ? Un chien qui se croit abandonné et va mettre en pièces tous les tissus qui traînent dans la maison ? Sans penser qu'elle venait de faire le tour de ses propres préoccupations, passées et présentes, Susan Lafferton ouvrit le tiroir de son bureau et sortit le remontant de 15 heures. Comme elle venait de le dire à cette dénommée Debbie Williams, elle disposait d'une heure dans son emploi du temps habituellement surchargé, et elle aurait pris plaisir à lui faire visiter le cottage Seddon. Elle aimait tellement faire visiter le cottage Seddon.

Grays, Purfleet, Rainham, Dagenham Dock, Barking, West Ham, Limehouse. Terminus Londres, Fenchurch Station. Ce trajet, longeant une Tamise invisible, cachée par des entrepôts, des usines, des dépôts de pétrole et des réservoirs à gaz, Debbie allait donc l'effectuer tous les jours, soir et matin. Travailler à Londres, vivre à Grays : en l'espace de trente minutes, elle passerait d'un univers à l'autre. Grays, si proche, était un monde à part entière, un morceau de terre anglaise, le comté de Thurrock, bâti sur la terre argileuse et sablonneuse de l'estuaire. Un marécage qui, aujourd'hui encore, apparaît entre deux blocs de ciment. La pierre, le béton, le bois semblent briller d'une teinte vert sombre, témoignage de la stagnation des eaux. Une terre menacée qui, s'il faut croire l'article du journal que Debbie découvre oublié sur la banquette, sombre rapidement, presque *visiblement*, dans la mer du Nord.

Travailler à Londres, vivre à Grays : il fallait espérer que le cottage Seddon conviendrait. Le lendemain, jeudi 3 novembre, à 3 heures de l'après-midi, Debbie était de retour à l'agence immobilière.

— Mrs Lafferton n'est pas là ?
— Elle a dû s'absenter. Asseyez-vous, Miss ?
— Debbie Williams. J'ai rendez-vous avec Susan Lafferton, je dois visiter le cottage Seddon.
— Le cottage Seddon… Voyons voir. Oui, bien sûr. Le cottage Seddon.

L'homme qui, aujourd'hui, semblait remplacer Susan Lafferton regarda Debbie avec gravité. Il se leva, disparut dans la petite pièce du fond, et revint avec une clé.

— Eh bien, allons-y.
— Mais… Mrs Lafferton ?
— Mrs Lafferton a dû s'absenter, je viens de vous le dire. Je suis seul à l'agence cet après-midi. Je me présente : Gee Morgan. Tout le monde m'appelle G.M.

G.M. et Debbie sortirent de l'agence, prirent la direction du fleuve. « La ville tourne le dos à la Tamise, la ville tourne le dos à la Tamise », crut l'entendre marmonner Debbie. Étrange agent immobilier.

— Vous ne craignez pas le vent j'espère ?
— Non, au contraire.

— Certains jours, surtout l'hiver, il faut faire très attention. Les eaux de la Tamise mêlées à celles de la mer du Nord produisent le vent le plus violent de la côte Est. Si finalement vous découvrez qu'il vous gêne, venez me voir.

— Et vous lui direz de se calmer ?

— Nous chercherons une autre locataire.

— J'ai choisi d'habiter la région car j'aime le vent.

— C'est ce que disait Mary Seddon en arrivant à Grays, paraît-il.

— Combien de temps est-elle restée là ?

— Dix ans. Nous voici arrivés au cottage Seddon, Miss Williams.

La ville tourne le dos à la Tamise, la ville se protège du fleuve, a bâti d'immenses bassins de déversement pour le trop-plein de ses eaux. Le passager qui descend du train, quitte la gare, et se sent attiré par la tache argentée qu'il devine sur la droite, est aussitôt arrêté par le portail « Flood Gate ». Le chemin du fleuve est barré. Ce voyageur, déçu, se retourne et aperçoit une longue maison de couleur vive qui ne demande qu'à l'accueillir, le pub Theobald Arms.

Lors de sa première promenade de reconnaissance des lieux, Debbie ne s'était pas laissé arrêter par les mots

NOS AMIS DES CONFINS

«Flood Gate», elle avait voulu passer outre le portail, avait continué à droite encore, pour découvrir ce qu'elle cherchait, la longue promenade pavée le long du fleuve. Il n'était que 4 heures, mais il faisait déjà nuit, et ce premier jour, elle avait bientôt fait demi-tour. La ville tourne le dos à la Tamise, il suffit de quelques minutes à Grays pour comprendre le sens de ces mots.

— Bonjour, Miss Williams. Tout va bien, au cottage Seddon?

L'étrange agent immobilier accueillit Debbie comme si elle était une vieille amie – ou comme s'il s'ennuyait à mourir dans l'agence déserte.

— Merveilleusement bien. Mais je me demandais... Mrs Lafferton n'est toujours pas revenue?

— Asseyez-vous. La matinée est tranquille. C'est curieux, Miss Williams, vous ressemblez à une autre locataire. Pas du cottage Seddon, mais d'une maison plus loin du fleuve. Une personne de votre âge, qui portait le beau prénom de Tessa.

— Portait? Elle...

— Je me suis mal exprimé. Elle n'est plus là, elle a dû partir. Suite à un malentendu tout à fait déplorable. Elle se plaisait beaucoup à Grays. Un peu trop, même. Elle a dû partir car elle avait essayé de voler son travail à Henrietta.

– Henrietta?

– Henrietta. Notre célébrité locale. Vous ferez bientôt sa connaissance. Venez au Theobald, le soir après votre travail. Depuis vingt ans, Henrietta s'occupe du Ghost Walk de la ville de Grays. C'est elle qui l'a créé. On pourrait croire que...

– Le Ghost Walk?

– Toutes les villes *ici* ont leur Ghost Walk. Ou Ghost Tour. La tournée des lieux hantés, qui souvent, mais pas à Grays, commence et se termine dans un pub. Je disais donc, on pourrait croire que depuis tout ce temps Henrietta serait tombée dans la routine, mais non. Chaque année, Henrietta met son Ghost Walk à jour. Elle est la plus active et la plus consciencieuse des organisatrices de Ghost Walk. Eh bien, figurez-vous que Tessa s'était mis dans la tête d'organiser à son tour un Ghost Walk. Je la soupçonne même d'être venue à Grays pour cela. Elle avait déjà préparé toute la partie régionale. Elle n'attendait plus que de s'installer ici pour mettre au point son circuit, et Henrietta au chômage par la même occasion. La pauvre Henrietta. La pauvre, pauvre Henrietta...

Les mots et la voix de G.M. étaient pleins de compassion. Son sourire et son regard pleins d'ironie. Debbie regarda sa montre, et se sauva. Une fois dehors, elle se retourna et vit G.M. qui accrochait la pancarte: «Nous sommes absents.»

Elle s'aperçut qu'elle était repartie de l'agence sans

avoir posé les questions qu'elle avait préparées. G.M. avait le don de vous faire croire que rien n'avait d'importance. C'était à la fois horripilant et reposant. Au début, lorsqu'il était plus jeune, ce trait devait lui conférer un grand charme. «Venez à moi» – et vos soucis semblent se volatiliser. Ce n'était pas une question de mots, G.M. n'était pas un bonimenteur. Non, c'était simplement... Impossible de décrire, d'expliquer. Il fallait être là, devant lui. Un geste du bras gauche, qui paraissait tout à la fois bénir et congédier... chasser au loin ces petits problèmes qui ne méritent pas une seconde de votre attention.

Il aurait été un pasteur – ou un guérisseur – parfait. Ce talent qui n'avait pas de prix, G.M. avait préféré l'employer à vendre ou à louer des appartements, domaine bien limité. Évidemment, ce don lui était très utile dans ce travail. Debbie l'imaginait chasser de son petit mouvement de la main tous les «défauts» insignifiants – plomberie, isolation, vétusté –, toutes les défaillances possibles de la maison qu'il faisait visiter.

Le soir même, en revenant de Londres, Debbie se retrouva sans même l'avoir décidé devant la porte du Theobald. Elle la poussa, et découvrit une grande salle aux murs blancs, aux longues tables de bois alignées comme pour un banquet. Une femme brune, assise très droite, les deux mains entourant son verre, lui fit un signe de tête, puis leva une main pour l'inviter à s'asseoir auprès d'elle.

— Vous êtes Miss Williams je suppose. Je suis Henrietta. J'espère que vous vous plairez ici, Miss Williams. Nous ferons en sorte que votre séjour soit agréable, Miss Wi… Je vais vous appeler Debbie, si vous le permettez. Vous êtes chimiste, je crois, vous travaillez chez Watercare. Pour ma part… Pour ma part je suis diplômée en histoire *et* en mathématiques. Je tiens à le dire, car je ne veux pas être confondue avec…

Henrietta ferma les yeux.

— … avec ces créatures évaporées qui pratiquent la même activité que la mienne.

Elle se leva, sortit, laissant là son verre à demi plein. Un jeune homme s'approcha :

— Ne craignez rien, elle va revenir. Vous êtes parmi nous pour longtemps ?

— Je l'espère. Debbie Williams, du cottage Seddon.

— Du cottage Seddon ? Reginald Smith. Je tiens le pub en remplacement du propriétaire, Timothy. Je ne sais pas s'il apprécierait que je sois si familier avec les clients, mais puisqu'il n'est pas là. Henrietta, déjà de retour ?

— Je croyais qu'il était l'heure, mais non, j'ai encore un peu de temps. Je vais reprendre un verre, Reginald, et continuer ma conversation avec notre nouvelle amie, Debbie.

En quittant le Theobald ce soir-là, Debbie s'aventura du côté du fleuve. Elle n'avait pas imaginé que l'obscurité serait totale. Les berges étaient pavées, mais non éclairées. La seule source de lumière venait des usines et des pylônes de l'autre côté de la rive mais le fleuve était si large, les lueurs si lointaines. Tout près de la Tamise, la nuit semble menaçante, une masse noire, invisible, mouvante ou immobile selon la marée, qui…

— Vous ne devriez pas vous promener seule par ici, la nuit.

— Henrietta! Vous m'avez fait peur.

— Vous ne devriez pas vous promener seule par ici, la nuit.

— Je ne me promène pas, je rentre chez moi.

— «Chez moi»! Comment pouvez-vous dire cela, vous venez d'arriver.

— Faut-il que je dise «chez Mary Seddon»?

— Mary Seddon! Mary Seddon!

— Et si nous retournions au Theobald? Ou bien, venez prendre un verre à la maison… Je veux dire, chez Mary Seddon…

— Je ne suis pas sûre d'être la bienvenue.

— Je vous assure que je vous invite avec plaisir.

— Oh, je ne parlais pas de vous. Bonne nuit, Debbie.

Henrietta, d'une allure bien plus rapide que celle de Debbie, passa son chemin. Debbie, un instant, resta figée. Il lui semblait entendre la voix d'Henrietta, mais le fracas de l'eau contre le métal l'empêchait de saisir les mots. Henrietta subitement se retourna.

– Pourquoi riez-vous comme cela?

– Je ne ris pas.

Mais Debbie n'avait pas eu le temps de se composer un visage sérieux. Car elle était bel et bien en train de se moquer d'Henrietta. Cette étrange femme, avançant devant elle à la nuit tombée, lui avait rappelé une fermière essayant de réunir ses poules. Une fermière d'un temps révolu bien sûr. Qui donc appelle-t-elle ainsi? Car cette fois-ci, malgré le bruit, Debbie put comprendre les mots «Les petits! Venez avec moi! Venez!».

Les piliers noirs défilent de plus en plus vite, et derrière eux, les silhouettes semblent jaunes... Sont-ils tous habillés de jaune, ces voyageurs sur le quai... Les piliers noirs...

Debbie ferma les yeux. Erreur, les images n'étaient que plus visibles. Elle ne s'attendait pas à ça. Elle avait imaginé que les souvenirs, les *rappels* de la vie laissée derrière elle seraient des visages, des regards, des scènes du quotidien. Au lieu de cela, des piliers noirs, défilant de plus en plus vite. Des couleurs, les bleus et les gris des façades, le gris-jaune du ciel le soir. Les arches brunes des tunnels à l'entrée de la ville.

— G.M., vous reprendrez bien un verre?

— Le dernier.

— C'est la maison qui offre.

— C'est facile, quand on n'est pas vraiment « la maison ». Timothy va faire une attaque à son retour. En son absence, « la maison » a offert plus de verres qu'elle n'en a vendu en dix ans!

— Qui vous dit que Timothy reviendra? Hier soir, il n'a pas appelé. Il téléphone tous les soirs pour que je lui dicte la somme des profits.

— Je ne l'imaginais pas tenir ses comptes d'aussi près!

— Je me suis mal exprimé. Ce n'est pas le mot « profit » que j'aurais dû employer. Ce qu'il veut savoir, c'est qui est venu, et qui a bu quoi. Pas pour l'argent, mais pour le contrôle. Même loin d'ici, il veut être tenu au courant de tout.

— Et bien entendu, connaître le temps que nous passons ici lui est très utile. À partir des moments de notre présence, il peut reconstituer notre emploi du temps.

— Par exemple, si G.M. boit quatre Strong Suffolk, Timothy saura qu'il n'est pas rentré chez lui en quittant le Theobald – il serait incapable de retrouver son chemin – mais qu'il a fait halte…

— Dans le pub voisin?

— Non, Miss Debbie. Vous ne connaissez pas encore nos habitudes. G.M., après quatre Strong Suffolk, fera halte dans la dernière maison à l'angle de West Street, où l'attend un lit, en cas de nécessité.

— C'est la maison de mon frère. Il vit… loin d'ici, mais il aime revenir à ses moments de liberté.

— Pourquoi dis-tu « loin d'ici », d'un ton mystérieux en plus. Ton frère vit tout simplement à…

— Je ne vois pas pourquoi je n'ai pas le droit de dire « loin d'ici », et sur le ton qui me plaît. Reginald, tu deviens insupportable.

Debbie les écoutait, amusée. Elle avait la curieuse impression de se trouver là, parmi eux, au Theobald, depuis toujours. Elle ne voulait pas prendre d'habitudes, mais malgré elle c'était déjà fait. Lorsqu'elle passait devant le pub, elle entrait. Sans réfléchir. Si G.M. ou Henrietta étaient là, elle répondait à leur petit signe lui intimant de les rejoindre à leur table. Si aucun des deux n'était déjà arrivé, elle s'asseyait n'importe où, de préférence derrière une fenêtre, mais elle ne voulait pas avoir « sa » table, sa place. Hier soir, lorsqu'elle était entrée, elle avait vu Henrietta installée à droite, G.M. à gauche. Chacun avait souri, agité la main. Et Debbie, un instant, s'était retrouvée paralysée. Elle les avait regardés, tour à tour, d'un air un peu perdu, ayant peur de vexer, blesser l'un des deux — chacun à sa manière semblait si fragile. Au même moment — à la même seconde — ils s'étaient levés, et Debbie s'était rendu compte qu'ils l'avaient fait exprès. Un instant plus tard, ils étaient tous les trois à la même table, les deux plaisantins commentant avec délectation leur innocente plaisanterie. « Comment pouvez-vous

vous conduire de manière aussi puérile ? », aurait voulu leur dire Debbie. Mais elle savait déjà que c'était à elle de s'habituer à ce curieux couple. G.M., agent immobilier impénétrable, et Henrietta, organisatrice de Ghost Walk susceptible. Ils paraissaient inséparables, et ne cessaient de se chamailler.

— Vous êtes frère et sœur ?

La question s'était posée toute seule, c'était comme si Debbie avait pensé à haute voix.

G.M. et Henrietta échangèrent un regard, l'air aussi perdu que Debbie lorsqu'elle était entrée dans le pub. Ils ne répondirent pas. Bien évidemment, pensa Debbie. Répondre à une question simple, ce serait trop leur demander. Et laisser échapper une occasion d'être cachottiers et pleins de mystère.

Puisque Debbie habitait le cottage Mary Seddon, la moindre des choses était de chercher à la connaître. Une visite à la librairie du centre commercial ne lui fut d'aucune aide : pas la moindre trace de Mary Seddon. Debbie essaya alors le musée, dont le bâtiment accueillait aussi la bibliothèque, le théâtre, l'office de tourisme. Dans le grand hall, deux étudiants discutaient devant le distributeur de café. À la réception, personne. Debbie attendit de longues minutes. Elle finit par prendre les bulletins d'adhésion aux diverses sociétés et associations du

comté de Thurrock, et parmi eux découvrit un feuillet:
«Association des amis de Mary Seddon.» L'adresse était…
celle de l'agence immobilière, et le nom de la personne
à contacter, Susan Lafferton. Susan, qui ne revenait toujours pas.

«Les petits, venez avec moi. Suivez-moi, les petits.»
Dix fois par jour peut-être, par tous les temps, Henrietta quitte le Theobald, remonte New Road jusqu'à
l'église, s'engage dans l'étroit chemin entre la gare et le
cimetière, en un parcours qui semble toujours le même.
Debbie s'est habituée à la voir surgir à tout moment,
lorsqu'elle-même se promène dans cette partie de Grays.
Parfois, c'est en silence que passe Henrietta. Mais, le
plus souvent, c'est en répétant ces mots «les petits, les
petits, suivez-moi». Debbie espérait apprendre, au détour
d'une conversation au Theobald, qui étaient ces «petits»
qu'Henrietta tenait à garder rassemblés. La seule personne à qui elle aurait pu poser la question était Susan,
mais Susan ne revenait toujours pas. À l'agence, G.M.
s'était installé à sa place, devant le carton annonçant
«Susan Lafferton». Je ne l'ai rencontrée qu'une fois et
pourtant j'ai l'impression de la connaître depuis longtemps. Ma vie à Grays, je l'ai en quelque sorte vue se
dérouler à l'avance. Comme si on m'avait montré un
film, et dans ce film, Susan est là. Je la vois tous les jours

ou presque, je passe à l'agence, j'échange quelques mots avec elle, ou bien elle vient nous rejoindre au Theobald. Ou encore, elle fait un saut chez moi, au cottage Seddon, me raconte la vie de ses locataires. C'est un peu idiot mais, devant Susan, j'ai su qu'entre nous l'entente était immédiate. Ce sont des choses qui arrivent.

– Debbie, vous n'avez pas encore participé au Ghost Walk d'Henrietta.
– J'ai bien peur de ne pas croire aux fantômes.
– Pas besoin de croire aux fantômes pour participer à mon Ghost Walk, vous savez.
– Participer! Ce n'est pas un jeu ni un rallye ni un…
– G.M.! Tu es encore plus susceptible que moi sur le sujet.
– Je ne suis pas susceptible. Je prends au sérieux ton travail. D'ailleurs, pour toi, c'est plus qu'un travail. C'est… ta vie.
– Ma vie, n'exagérons rien. Il ne faut pas oublier…
– Je n'oublie rien, Henrietta. Quant à vous, Debbie, que diriez-vous de demain matin? Avant de partir chez Watercare.
– Demain *matin*? J'aurais imaginé qu'un Ghost Walk se déroulerait le soir, à la nuit tombée.
– Les autres peut-être. Mais celui d'Henrietta commence à 7 heures le matin.

NOS AMIS DES CONFINS

— G.M., si tu me laissais parler. Mon Ghost Walk a lieu à 7 heures du matin *et* à 11 heures le soir. Il se divise en deux parties, mais c'est le même, et il ne faut pas se contenter d'une moitié. Je veux dire, si vous venez demain matin à 7 heures comme G.M. vient de le suggérer, il faut être là également à 11 heures. Sinon, la visite serait inachevée.

— On ne peut pas dire d'une visite qu'elle est inachevée, Henrietta.

— Je le sais très bien. Mais je suis sûre que Debbie a compris ce que je voulais dire. La première partie se termine à 7 h 30 le matin, la seconde commence à 11 heures le soir. Pour nous, simples humains, la vie se déroule, la vie continue pendant cet intervalle. Mais pour *eux,* ces heures-là ne seront rien d'autre que pure attente. Ils sont à la fois courtois, fragiles et susceptibles.

— Henrietta, tu es en train de te décrire toi-même.

— Oh, G.M., tais-toi donc un peu. Et je crois que ton idée d'inviter Debbie à mon Ghost Walk n'est pas bonne. Je ne voudrais pas vous froisser, Debbie, mais il est encore un peu tôt. Le moment n'est pas encore venu. Si vous permettez, je dois y aller.

G.M. et Debbie, restés seuls, gardèrent le silence un long moment.

— Savez-vous, Debbie, qu'il y a des jours où Henrietta n'a pas un seul amateur, pas un seul client pour son

Ghost Walk? Elle le fait quand même, vaillamment. Vous serez discrète n'est-ce pas? Henrietta n'apprécierait pas que je vous confie ce triste fait. Oui, j'imagine que vous saurez être discrète. Puisque je suis parti sur le chemin des confidences, je peux vous dire que le circuit imaginé par Henrietta évite tous les endroits où il s'est passé quelque chose, produit un décès. Il contourne chaque lieu qui serait susceptible d'être hanté. Je ne sais pas ce qu'ils font dans les autres villes, mais ici, à Grays... Le chemin des fantômes est le chemin précisément sans fantômes. Mais ne dites rien. Ne laissez pas Henrietta comprendre que vous savez. Elle serait mortifiée.

— Et cette autre femme, celle qui voulait faire aussi un Ghost Walk?

— Tessa.

— Oui, Tessa. A-t-elle voulu faire un vrai Ghost Walk? En proposant les lieux... susceptibles d'être hantés comme vous dites?

— C'est exactement cela. Non seulement elle s'était renseignée avant de s'installer ici, mais une fois sur place, elle a cherché... cherché comme un chien policier... Elle s'est mise à faire du porte-à-porte, elle voulait visiter chaque maison. Et pas une petite visite rapide. Non, elle voulait tout voir. Les placards, les remises, les... Ah, nous nous sommes bien amusés!

— Amusés? Henrietta s'est amusée?

— Oh non, je ne parlais pas d'Henrietta. Nous nous

sommes bien amusés, mais ce n'est pas d'Henrietta que je parle.

— Et Tessa, où est-elle maintenant ?

— Ça, Debbie, je voudrais bien le dire… Tessa, où est-elle maintenant ?

Le matin, Debbie continuait à se réveiller à 6 heures exactement. Minuit là-bas, chez elle. Rien n'est plus angoissant que ces premières heures perdues dans leur lueur blême, désespérante. Elle se levait et pensait à Mary Seddon. De 6 heures à 8 heures le matin, la maison semblait appartenir au passé, et Debbie détestait cette sensation. La nuit, elle n'avait pas peur. Mais à l'approche de 6 heures — minuit outre-Atlantique — l'oppression et l'inquiétude la gagnaient. La veille, elle avait allumé toutes les lampes et, sans réfléchir, elle avait déplacé les coffres, les tables basses, les fauteuils, même le lit. Au bout d'une heure, elle s'était arrêtée. Et mise à parler toute seule.

— Est-ce que ça va, comme ça ?

Le silence qui lui avait répondu l'avait confortée dans son idée : oui, ça allait tout à fait comme ça. Avait-elle reconstitué la pièce telle qu'elle était du temps de Mary Seddon ? Il le semblait.

Toute la journée, Debbie attendit avec impatience le moment de se retrouver au Theobald. G.M. était seul, elle prit place en face de lui.

— Nous avons encore perdu un bout de littoral, lui annonça-t-il comme si c'était une heureuse nouvelle. Ce sera bientôt au tour de Tilbury de disparaître. Du côté ouest de l'île ce sont les rochers qui se détachent. Parfois c'est dû à la présence de mines, parfois seulement au temps. *Time,* l'écoulement des jours, et *weather,* les intempéries, le vent. De curieux déplacements d'air qui font bouger la roche. Plus tard, on observe des fissures. Le verbe est mal choisi : on n'observe pas ces fissures, au contraire elles sont invisibles, restent inaperçues. Lorsqu'elles deviennent visibles, il est trop tard. Du côté ouest de l'Angleterre le problème vient des roches. Denses, immobiles d'une part, vulnérables, susceptibles d'être fissurées de l'autre. La désintégration de la côte rocheuse du côté ouest : mon frère l'étudie. Un jour – il était déjà adulte – il s'est mis à rêver de pierres. De chaos, de rochers écroulés. Dans ses rêves il entendait le grondement, l'écroulement, il voyait des rocs se détacher, il voyait la marée entourer lentement les rochers éboulés. Au début, il ne voyait et n'entendait cela qu'en rêve. Puis c'est devenu un rêve éveillé. Puis une obsession. Nous étions ensemble, dans la rue, ici, à Grays, il s'immobilisait, se taisait, me demandait « tu as entendu ? », « tu entends ? ». Je répondais non, évidemment. Et lui, il entendait des grondements de roches invisibles, qui entraînaient dans leur chute le reste d'une falaise. Alors, il a fini par partir là-bas, dans une ville de Cornouailles. Ici, nous n'avons pas de roches. La côte Est ne disparaît que par désintégration, l'eau, le sel et le sable bien qu'ennemis s'associent pour la ronger. Nous avons, de Cromer à Tilbury, une bande de littoral engloutie, comme une bordure fantôme. Oh, cette lisière disparue doit exister le long d'autres rivages, plus au nord et plus au sud, mais notre littoral est le plus entamé. Lorsque John nous a annoncé son départ pour l'Ouest, nous avons tous été si tristes. Nous avons eu l'impression de perdre notre spécialiste. Avec ce don si étrange qu'il avait de pressentir – non pas de prévoir, mais de pressentir – l'emplacement où le prochain incident se produirait. Walberswick, Thorpeness ou Shingle Sheet. Oh, certains pensaient que c'était une simple analyse de toutes les données dont il disposait. Mais je savais bien, moi, que c'était autre chose. Déjà, lorsque nous étions enfants, j'étais épaté par ses prédictions. Je croyais que c'était de la magie. Nos parents étaient inquiets. Oh, cette curieuse atmosphère qu'il y avait à la maison…

— Cette maison, c'est celle à l'angle de West Street?

— Non, c'était une très grande maison, Tenement Hall, à la limite de Tilbury. Elle n'existe plus. Ce qui est aussi bien. Sinon Susan aurait voulu en faire un musée. C'est une sorte de manie chez elle. Cela dit, je m'y serais opposé. Henrietta prétend que les fantômes détestent les maisons transformées en musées, ils se sentent *chassés*. Non seulement à cause des visiteurs – mais surtout, c'est le côté figé qui les dérange. C'est la mort véritable, celle qui stoppe, paralyse les énergies vitales. Alors que les fantômes, eux… eh bien ils aiment se déplacer. Même le plus casanier des fantômes, le plus attaché à son petit domaine, ne peut s'empêcher d'aller et venir. C'est curieux, on dirait qu'il suffit de prononcer le mot « fantôme » pour faire apparaître Henrietta.

Debbie se retourna. Henrietta venait d'entrer, mais au lieu de se diriger vers eux, elle restait debout, le regard fixe. Comme une somnambule, mais une somnambule arrêtée dans sa déambulation. Debbie lui fit un petit signe. Bientôt Henrietta se retrouva assise en face de G.M. et à côté de Debbie. L'impression d'irréalité avait disparu.

– Je viens de recevoir une lettre de Wesley. Il veut revenir.

Et tous deux, Henrietta et G.M., se lancèrent dans une discussion passionnée sur le retour de Wesley.

Le lendemain soir, Debbie rentra directement chez elle, sans s'arrêter au Theobald. Vers 8 heures, elle entendit une voix qui l'appelait. Elle s'approcha de la fenêtre. Henrietta, à deux mètres de là, appuyée contre le muret, regardait fixement le cottage.

— Henrietta, entrez. Je ne vous ai pas entendue frapper. C'est bizarre, il n'y a pas de sonnette, pas de carillon. Il suffit d'être dans l'autre pièce, et on n'entend pas…

— Je n'ai pas frappé. Je ne frappe jamais. Je n'aime pas l'idée de… De déranger. De faire sursauter.

— Vous ne me dérangez pas du tout, je vous assure.

— Oh, je ne parlais pas de vous.

— Entrez, Henrietta, asseyez-vous.

— Non, je ne reste pas. C'est simplement… Vous n'étiez pas au Theobald tout à l'heure. Nous nous cotisons pour offrir un cadeau de bienvenue à Wesley. Vous ne le connaissez pas encore, mais si vous participez, si vous signez la carte, cela lui fera tellement plaisir.

— Bien sûr. Qu'allez-vous lui offrir?

— C'est G.M. qui décidera. Cela dépendra de la somme réunie. Pour l'instant nous avons neuf cent cinquante livres.

— Neuf cent cinquante livres! Vous devez vraiment l'aimer beaucoup!

— Autant vous le dire tout de suite, Debbie. Ce n'est pas un cadeau habituel. C'est plutôt… une réparation. Nous avons fait beaucoup de mal à Wesley. Et nous espérons nous faire pardonner. Nous l'avons… Nous l'avons chassé d'ici. De la plus ignoble façon. C'était au départ une simple plaisanterie, qui a mal tourné.

Henrietta s'était approchée de la porte, mais sans entrer.

– C'est tellement étrange. Depuis quelque temps, nos plaisanteries tournent mal. Dieu sait si, au départ, elles sont anodines. L'esprit de G.M. est tellement inventif. S'il l'avait mis au service d'une cause, il aurait pu faire tant de choses. Et maintenant il est trop tard. Tiens, vous avez de la visite.

– Je n'ai rien entendu.

– De toute manière j'allais vous laisser, je suis en retard.

Henrietta déjà était partie. Le visiteur annoncé ne se matérialisa pas.

Debbie se mit au travail, elle avait un rapport à terminer pour le lendemain. *Earth is really dying*, « la terre est en train de mourir, de mourir vraiment », chantait un désespéré en 1972. *Five years. Il nous reste cinq ans.* C'est aujourd'hui qu'il faudrait dire – hurler – cela. Mais aujourd'hui, c'est comme si c'était un jeu. Watercare devait présenter pour la fin de l'année un bilan de l'état des rivières du pays, et les chimistes qui travaillaient avec Debbie semblaient presque heureux de rivaliser, c'était à qui s'occuperait des eaux les plus contaminées. Mais impossible de se concentrer sur des taux de cyanide et de fluoride, alors que la voix d'Henrietta continuait à résonner, comme si elle était encore là.

À 6 heures, Debbie se réveilla en sursaut. Comme chaque matin. La sensation d'oppression était plus forte de jour en jour. Minuit là-bas, chez elle. La pluie, la pluie, la pluie. Qui aurait pensé, il y a encore quelques années, que la ville allait disparaître ainsi sous la pluie, l'eau qui n'est pas celle de l'océan ou des deux fleuves, l'eau qui tombe, qui tombe, et transforme les New-Yorkais en créatures amphibies, les talons aiguilles qui cherchent la terre ferme au sortir d'un taxi et ne la trouvent pas, la vapeur blanche qui flotte, opaque, à hauteur de la taille. Le monde qui se désagrège de manière toujours inattendue, les catastrophes sont prévues, annoncées, mais pendant ce temps, pendant le temps de la prédiction, de l'attente et de la surveillance, la pluie tombe sans discontinuer sur une ville, la pluie travaille, prépare l'affaissement, l'effondrement, la contamination...

Debbie voudrait se rendormir, ou bien avoir le courage de se lever. Effondrement, contamination, effondrement, contamination. Ses souvenirs, ses préoccupations, sa vie personnelle se sont effacés, remplacés par ces visions. Cette obsession... *Earth is really dying.*

— Debbie, nous étions en train de parler de vous. Nous nous disions que, peut-être, vous nous trouviez bien suffisants, arrogants. Égocentriques. Peu soucieux de vous. Nous vous assommons avec nos histoires, et nous ne vous

NOS AMIS DES CONFINS

demandons jamais si tout va bien pour vous. Ce n'est que
de la discrétion, sachez-le bien. En réalité nous sommes
très soucieux de vous. L'occupant du cottage Seddon est
un hôte privilégié, sachez-le bien. Nous espérons que
vous y êtes tout à fait comme chez vous. Quel dommage
que Susan ne soit pas là – vous devez être du même âge
à peu près –, vous auriez pu être amies. Alors qu'Henrietta et moi... nous sommes tellement plus âgés. Deux
vieux raseurs, voilà ce que nous sommes. Il faut espérer
que Susan reviendra bientôt. Hélas, cet espoir semble
vain!

— G.M., tu ne peux pas parler comme tout le monde,
de temps en temps.

— Henrietta, tu ne cesses de m'interrompre.

Et pendant ce temps, Reginald, derrière le comptoir,
regardait Debbie comme si elle était une apparition.

« Et moi, alors? »

Debbie venait de terminer sa deuxième tasse de café,
dans la petite cuisine du cottage Seddon, lorsqu'elle
entendit ces mots. 8 heures du matin (2 heures, *là-bas*).
Trois mots prononcés d'une voix distincte, aussi clai-
rement que si quelqu'un s'était tenu juste à côté d'elle.
Non, pas tout à fait. À côté d'elle, mais plus haut.

Et moi, alors? Les petits mots de celui qui se sent
oublié. La voix était grave, mais c'était peut-être celle

d'une femme. Maudits soient G.M. et Henrietta, avec leur manie de toujours parler de fantômes.

Elle se leva précipitamment, et se rendit compte qu'elle avait parlé à voix haute. De mieux en mieux. J'entends une voix, je parle toute seule.

Cinq minutes plus tard, elle était dehors. Le Theobald n'était pas encore ouvert. Elle avait le choix entre le White Hart, presque à côté, ou le Pullman, en face de la gare. Elle choisit le Pullman, et vit Reginald, attablé devant une cafetière. Il lui fit signe de s'approcher, elle prit donc place en face de lui.

— Je ne vous savais pas si matinal. Vous terminez tard au Theobald pourtant ?

— Je prends mon petit déjeuner ici tous les matins à 7 heures, et je le fais durer une heure, deux heures. J'aime tellement cette impression : je reste là, à Grays, je vais travailler tout à côté, au Theobald, alors qu'ils vont tous prendre le train pour Londres. Ceux qui restent ont l'air de créatures abandonnées. Comme une grande famille, mais une famille de laissés-pour-compte. Vous êtes en avance vous aussi. D'habitude vous ne prenez que le 9 h 15.

— Comment le savez-vous ?

— Ce n'est pas difficile. Tout le monde le sait ici. 9 h 15, quai numéro un.

Une fois dans le train, Debbie n'avait plus le temps de penser aux voix, aux fantômes et aux excentriques

34

de Grays. Chaque matin la journée commençait par une réunion, et chacun devait connaître le domaine des autres. *Fongicides, micropolluants, présence de plomb possible...*

En combien de compartiments séparés peut-on diviser sa vie sans finir par se déchirer ? New York et John, laissé là-bas. Watercare, son travail qui la plongeait dans l'un des cauchemars du siècle. Grays, qui semblait appartenir à un autre monde, en tout cas, le Grays de G.M. et Henrietta. De leurs amis, réels mais absents (Susan, John, Wesley) ou bien irréels mais présents, leurs fantômes. Et au milieu de tous ces amis visibles ou invisibles, les fantômes plus classiques, celui de Mary Seddon par exemple...

Les chiffres et les courbes s'affichent sur l'écran. Les collègues de Debbie regardent, hypnotisés. *Les indicateurs de contamination azotée ne suffisent pas à...* Debbie essaie de revenir à la réalité, au moment présent. Et compte les heures qui lui restent à passer avant de se retrouver au Theobald.

— *Elles* traversent les murs de béton, pénètrent sous terre et brisent même les chaînes de l'ADN.
— Vous êtes Wesley ?
— Vous attendiez Wesley ?

– Moi, non, mais eux… Ils semblent tous attendre le retour d'un certain Wesley.

– Désolé de vous décevoir. Je suis Ewan. Vieil habitué du Theobald. Obsédé par les ondes, autant que vous l'appreniez par moi-même. Les ondes de basse fréquence, les ondes électromagnétiques. J'étais chez mon fils. Chaque année j'y passe un mois en automne, et j'aurais dû… Oh, je ne vais pas vous ennuyer avec mes histoires de famille. Dans ce monde déliquescent, tous nos petits problèmes devraient se dissoudre, disparaître par un simple effort de volonté. Les conséquences de la saturation électromagnétique ne sont pas encore assez sérieusement étudiées. N'ayez pas peur, je ne suis pas fou. Je suis peut-être le seul habitant de Grays à ne pas l'être. En tout cas, le seul habitué du Theobald. Ou donc est Timothy ? Timothy !

– Absent je crois. Remplacé par Reginald.

– Reginald ! C'est moi qui lui ai fait découvrir Grays, vous l'a-t-on raconté ?

– Non, je ne crois pas.

– Je ne crois pas ! Votre esprit est-il si embué que vous ne sachiez pas une chose aussi simple que celle-ci ? Ou bien peut-être que vous n'écoutez pas. Vous venez ici, chercher chaleur et compagnie, ou bien peut-être, êtes-vous déjà amoureuse du beau Reginald, mais vous n'écoutez pas. Et pourquoi prendriez-vous la peine d'écouter ? Ici, ne viennent que les inadaptés. Henrietta, G.M.… moi. Un peu plus loin, au White Hart, ils sont tout à fait normaux. Êtes-vous allée voir? Êtes-vous entrée dans ce royaume sans ombres, le White Hart?

— Ne faites pas attention, Debbie. Ewan vous fait marcher.

— Reginald! Madame ici présente me dit que tu remplaces Timothy. Pourquoi est-il parti?

— Il n'est pas parti, il est absent.

— Ah, G.M., vieux frère! content de te revoir.

— Le départ et l'absence… il ne faut pas les confondre.

— G.M. et Henrietta, content de vous revoir tous les deux.

— Que fais-tu là, Ewan? On ne t'attendait pas avant Noël!

— Quel accueil! J'aurais cru que vous seriez heureux de mon retour.

— Nous sommes absolument enchantés.

— On ne dirait pas. Vous faites une tête d'enterrement, tous les deux!

— Le départ et l'absence…

— G.M., tu aurais dû devenir poète. Tu as tant de dons, et ton esprit est si souvent traversé de lueurs de génie, c'est dommage que tu les laisses perdre. Employé d'une agence immobilière à Grays! Et le reste du temps, pilier du Theobald!

— Employé… tu sais bien que c'est moi le propriétaire de l'agence, et Susan l'employée.

— Oui, je le sais. Mais tout le monde est persuadé du

contraire. Susan a l'air d'être la responsable, et toi, tu te conduis comme un modeste employé.

— La modestie : tout est là, Reginald. Je veux vivre dans la modestie.

Pendant ce temps, Henrietta et Ewan, à voix basse, poursuivaient un autre dialogue. Debbie essayait d'entendre ce qu'ils se disaient, mais les voix de Reginald et G.M., et les sons ambiants, l'en empêchaient. Ils avaient l'air, tous deux, de conspirateurs. Une fois de plus. Combien de fois avait-elle eu cette impression que les quelques personnes qui, depuis qu'elle vivait à Grays, croisaient son chemin, se conduisaient comme des conspirateurs ? Sorte de paranoïa peut-être ? Ou bien le trop brusque changement. Plus de trente ans de vie outre-Atlantique, et brusquement, une petite ville sur la Tamise. Un autre siècle, en fait.

— Debbie, vous rêvez encore ?

— Vous rêvez toujours.

— Vous avez une petite mine.

— Vous êtes sûre de dormir assez ?

— Henrietta, laisse-la donc tranquille.

— G.M., tu me permettras de me soucier de notre invitée. Car c'est ainsi que je vous considère, Debbie, notre invitée. Vous êtes pâle et vous semblez épuisée. Alors je répète ma question : vous êtes sûre de dormir assez ? Vous avez peut-être du mal à vous endormir, avec le vent et les souvenirs accumulés dans le cottage. Vous remarquerez que je ne dis pas « les fantômes ». D'une part, pour ne pas vous effrayer, car je sais que pour la plupart des gens, les fantômes sont… soit inexistants, soit effrayants. Mais ce n'est pas seulement pour ne pas vous effrayer que je n'ai pas employé le mot « fantôme ». C'est aussi parce que… dans ce cas précis, le mot « souvenirs » me semble approprié. Les souvenirs, le cottage en est plein à craquer. Alors, Debbie, si la nuit vous n'arrivez pas à dormir, s'il vous semble partager votre chambre avec des ombres, des voix, des bruissements, n'ayez pas peur. Ce sont des souvenirs, de simples souvenirs.

— Henrietta ! Tu vas terroriser la pauvre Debbie !

— Mais non, voyons.

Ewan et Reginald n'étaient plus là. Debbie ne s'était pas rendu compte de leur départ. Elle se retrouvait entre G.M. et Henrietta, qui s'amusaient comme les deux vieux enfants qu'ils étaient.

Des souvenirs ! Des souvenirs ! Comme ce serait pratique, s'il suffisait d'entrer dans une nouvelle demeure et de remplacer ses propres souvenirs par ceux laissés sur place par l'ancien occupant du lieu. Comme ce serait agréable, en cas de réminiscences insupportables, torturantes.

Debbie n'avait pas de souvenirs torturants, mais elle était malgré tout désireuse de se délester de tous ceux qui avaient franchi l'Atlantique avec elle. Et si Mary Seddon avait laissé les siens, eh bien… tant mieux.

C'était toujours lorsqu'elle était dans la salle de réunion, le matin, que les pensées fantaisistes assaillaient Debbie. Au moment où elle aurait dû être particulièrement attentive, écouter, regarder, réfléchir. Enregistrer toutes ces données qui reflétaient à la fois le passé – l'irréversible contamination des éléments air, terre, eau – et le futur : l'impossibilité de remédier à la situation. Elle aurait aimé ne plus se préoccuper que de ce travail. *Earth is really dying.* Lorsque ces mots se prononçaient tout seuls dans sa tête, le reste perdait son importance. Elle s'était déjà détachée d'une bonne part de sa vie, laissée là-bas, à quelques milliers de kilomètres. En venant ici, en acceptant ce poste, elle s'était attendue à se défaire lentement de tout ce qui l'entravait, elle s'était promis de vivre, quelques années au moins, totalement consacrée à cette cause, expression devenue si banale mais tant pis.

Et dans un sens, c'était bien ce qui se produisait. Jour après jour elle laissait s'échapper un peu d'elle-même, mais…

On venait de lui poser une question et pour la troisième fois de la matinée, elle était prise en flagrant délit de rêverie. Elle se reprit, et replongea dans la réalité. *Dureté, 27. Turbidité, 4.7 NTU. Présence de nitrates…*

Était-ce à cause de G.M. et Henrietta – de leur folie douce mais contagieuse –, ou à cause du cottage, des «souvenirs» de Mary Seddon? Bien sûr, les deux étaient liés. Henrietta et G.M. se chargeaient d'entretenir la légende, l'ambiance. Sans eux – eh bien, en fait, par quelque sortilège tout à fait imprévu, Debbie ne pouvait déjà plus imaginer sa vie à Grays sans eux. Lorsqu'elle sortait de son cottage, elle entrait dans une zone déli-mitée par la longue Argent Street – placée sous leur influence. Si elle voulait se libérer de cette influence, il lui fallait partir, déménager dans une autre ville ou tout simplement, une autre partie de la ville.

Mais comment connaître le tracé exact de cette zone d'influence?

– C'est la première fois, Debbie, que nous pouvons bavarder tranquillement. Henrietta est occupée et Regi-nald… eh bien je ne sais pas où est Reginald. Il a glissé un petit mot sous ma porte ce matin, me demandant de le remplacer au Theobald de 10 heures à midi. Je ne sais pas ce qui se passe aujourd'hui à Grays, mais je n'ai encore vu personne. Sont-ils tous à une quelconque céré-monie dont je ne suis pas averti? Un enterrement? Non bien sûr, je le saurais. Reginald pourrait penser que je fais fuir les clients, alors qu'aucun n'a encore franchi cette porte. Debbie, je vous ai apporté quelque chose que je voulais vous donner depuis longtemps. Mon Livre. Vous lirez la dédicace à la maison.

— Je ne savais pas que vous étiez écrivain, G.M.

— Oh, je ne le suis pas. J'ai publié un seul et unique ouvrage, et ce n'est pas une œuvre littéraire, mais un guide pratique.

COMMENT VIVRE AVEC UN MANIACO-DÉPRESSIF

par G.M. Wilson.

C'est un pseudonyme bien sûr. Je n'ai pas voulu qu'on reconnaisse ma source d'information. La personne qui m'a servi de modèle. Ces pages se sont écrites toutes seules. Il m'a suffi de noter mes observations au quotidien. Ce livre est paru il y a presque dix ans, et m'a fait gagner une fortune. Mon éditeur m'a d'ailleurs commandé toute la série, *Comment vivre avec un paranoïaque, Comment vivre avec un dépendant, Comment vivre avec un éthylique,* et j'ai beau lui dire que ces guides-là, il ne les aura jamais, il ne veut pas le comprendre. Vous ne pourriez pas vous charger de l'un d'eux par hasard ? Vous avez peut-être quelque part un parent, un mari, un ami paranoïaque ou éthylique ?

— Pourquoi ne pas donner à votre éditeur un «Comment vivre avec soi-même» ?

— Oh, l'idée magnifique ! Hélas, je ne peux pas plus écrire celui-là que les autres, car mon «moi-même» n'est pas assez… comment dire cela sans paraître présomptueux?

— Pas assez quelconque?

— Changeons de sujet. Vous l'aurez compris, si j'ai attendu qu'Henrietta et Reginald soient tous les deux *éloignés* pour vous donner ce livre, c'est parce que je préfère rester discret. J'ai toujours peur que les gens s'imaginent qu'il s'agit d'eux, vous comprenez. Ils sont tellement susceptibles.

— Comment vivre avec un susceptible.

— Oh, deuxième idée magnifique.

— Comment vivre avec un jaloux.

— Ça, hélas, c'est déjà sur ma liste.

— Avec un cachottier, un menteur, un boulimique, un fumeur…

— Là, vous vous moquez de moi.

— Un intégriste, un insomniaque, un mythomane…

— Mythomane, je l'ai déjà aussi. En fait, j'ai un contrat, et je dois rendre le manuscrit dans un mois.

— Oh! Et où en êtes-vous?

— Je cherche une solution de secours. Un nègre par exemple. Ou bien j'espère que la Maison va faire faillite. Très sérieusement, j'ai essayé de m'y mettre, je n'y suis pas arrivé, et demain, je dois aller à Londres, déjeuner avec l'éditeur et lui faire définitivement comprendre que je ne lui donnerai jamais rien d'autre que mon « maniaco-dépressif ».

— Vous pourriez demander à Henrietta… «Comment vivre avec un fantôme.» Elle devrait pouvoir l'écrire en quinze jours.

— Henrietta…

Comme d'habitude, l'évocation de ce nom réveilla les forces endormies. Un violent courant d'air fit vibrer les vitres, claquer une porte au-dessus d'eux. L'appartement de Timothy.

— Je vais aller voir ce qui se passe. Les clés sont là. Si un client entre, dites-lui que j'arrive dans un instant.

— Et qui s'occupe de l'agence pendant ce temps? Mais G.M. déjà avait disparu…

L'office de tourisme de Grays – en fait un comptoir à l'entrée du musée-théâtre-bibliothèque – est situé en dehors du périmètre d'influence. Debbie décida d'y retourner. La première fois, il n'y avait personne à l'accueil.

— Je voudrais savoir ce que vous avez sur Mary Seddon.

— Tout est là, sur cette table.

— Ces documents, je les ai déjà. Je cherche… je ne sais pas. Quelque chose sur son cottage par exemple.

— On avait une brochure, mais elle est épuisée. Vous pouvez toujours aller au cimetière, *elle* est là. Ce qui est plus rare qu'on ne peut l'imaginer.

— Que voulez-vous dire?

— Eh bien, dans de nombreuses localités, la célébrité

part mourir ailleurs. C'est statistiquement prouvé. C'est le sujet de ma thèse. Si cela vous intéresse...

La jeune employée (Elza, annonçait un petit carton sur le bureau) sortit d'un tiroir un épais document dactylographié.

– Je peux vous donner ça. J'en ai toujours un exemplaire disponible, au cas où... Prenez-le. En ce qui concerne Mary Seddon, évidemment c'est différent. Elle n'est pas née à Grays. Elle est venue y vivre et y mourir. Elle n'apparaît donc pas dans ma thèse. Je ne me suis occupée que du lien entre le lieu de naissance et d'inhumation.

– Je lirai avec plaisir votre...

– Avec plaisir, peut-être pas. Disons avec intérêt. Eh bien... je crois que j'oubliais... Je dois avoir une biographie dans la réserve. Attendez une minute.

Elza disparut et réapparut aussitôt. La « réserve » ne devait pas être très encombrée.

– J'avais complètement oublié. Il n'y a même pas de prix, c'est trop ancien. Et ça ne vous intéressera peut-être pas car c'est la vie de Mary Seddon *avant* sa venue à Grays. Mais tenez, prenez-le toujours.

Munie des deux précieux opuscules, Debbie quitta le bâtiment. Elle commençait à se dire que l'espèce d'aura de folie douce qu'elle avait remarquée autour de G.M., d'Henrietta et de leurs amis, ne se limitait peut-être pas à eux. Le périmètre d'influence était peut-être plus étendu qu'elle le pensait car Elza, jeune et jolie thésarde, occupant cette position tout à la fois centrale et anodine – l'accueil de l'office du tourisme – lui avait paru elle aussi légèrement… excentrique? décalée? irréelle? C'était difficile à exprimer.

Lorsqu'elle arriva devant le cottage Seddon, *son* cottage, elle trouva Henrietta appuyée contre le muret, comme la dernière fois.

— Je vous attendais, Debbie.

— Entrez. Vous devez être frigorifiée.

— Pas du tout.

— Je vous en prie, entrez.

— Non. Allons au Pullman. Nous y serons tranquilles.

Trois minutes plus tard, elles étaient installées dans ce pub qui, à défaut d'être tranquille, était rarement fréquenté par G.M. *and Co.*

— Vous avez oublié le livre de G.M., tout à l'heure au Theobald.

— Oh! Merci de me le rapporter.

— Non, je ne vous l'ai pas rapporté. Mais je tenais à vous parler. G.M. a été mortifié en découvrant que vous aviez oublié son livre. Cela fait des années que je ne l'ai pas vu réagir comme ça. Il est devenu livide, il… Enfin, passons. Je tiens à vous dire que G.M. n'est pas cette espèce d'esprit insoucieux qui plane au-dessus

46

des considérations humaines. Il est extrêmement sensible. Il a cru que toute votre gentillesse, votre attention à ses paroles… que tout cela n'était finalement que pure politesse de votre part, et que votre oubli trahissait le fond de votre pensée : pour vous il est un vieil imbécile dont vous vous moquez, dans tous les sens du terme.

– Oh, pauvre G.M. ! Je ne pense pas cela une seule seconde.

– Eh bien, allez le lui dire. Allez le rassurer. Il faut y retourner tout de suite, Debbie.

– Tout de suite, je dois rentrer, me mettre au travail. Il faut que…

– Debbie ! Vous ne savez pas encore qu'il ne faut jamais remettre à plus tard lorsqu'il s'agit d'un être humain qui souffre alors qu'il suffit de quelques mots pour mettre fin à sa souffrance ?

– Henrietta, n'est-ce pas un peu excessif !

– Excessif ! Vous me décevez, Tess… Debbie. Si vous vous occupiez un peu de vos semblables, au lieu d'avoir le nez sur vos chiffres et vos analyses et vos formules chimiques, vous sauriez que les plus petites causes font basculer dans… dans le néant. Debbie, G.M. vous attend. Même s'il ne le reconnaîtra jamais – pas même à ses propres yeux – il attend que vous reveniez chercher son livre, et plus vous attendrez, plus il sera mortifié. Désespéré.

47

Qu'auriez-vous fait, à ma place ? Debbie attendit quelques minutes, non, quelques secondes. Elle regarda Henrietta sortir du Pullman, s'engager à droite, comme pour traverser la voie ferrée. Dès que sa silhouette eut disparu, Debbie sortit à son tour, et prit la direction du Theobald. Elle n'avait pas l'intention de faire attendre – *souffrir* – G.M. plus longtemps que nécessaire. Lorsqu'elle ouvrit la porte du café, un brouhaha inhabituel l'accueillit. Reginald était revenu, il trônait à la longue table qui séparait les deux parties de la salle. Un concert de voix entonnait le rituel *Happy birthday*. Elle chercha G.M. des yeux mais la première personne qu'elle aperçut, après Reginald, fut Henrietta. Don d'ubiquité ? Rapidité extra-ordinaire ? Henrietta ne lui adressa aucun signe de connivence. Rien dans son regard ou son sourire ne sembla remercier Debbie d'être accourue sans perdre un instant. G.M. à cet instant se retourna et vit Debbie. Il désigna la porte, se leva. Deux secondes plus tard, ils se retrouvèrent dehors.

— Que se passe-t-il ?

— Allons boire quelque chose au White Hart. Vous êtes arrivée à temps pour me délivrer.

— Vous n'aimez pas les anniversaires ?

— Oh, si, je les aime beaucoup. Mais ce jour de novembre n'est pas seulement celui de la naissance de Reginald, il représente un bien plus sombre anniversaire pour moi.

— Oh, je suis désolée.

— Vous n'y êtes pour rien. Que prenez-vous? Ici, ils n'ont pas de Strong Suffolk.

— J'ai oublié d'emporter votre livre tout à l'heure. Ça m'arrive tout le temps. John me dit toujours…

— John?

— Mon mari. Celui qui est resté là-bas.

— Celui? Vous en avez plusieurs?

— C'est juste une manière de parler.

— Une manière de parler. Vous avez un mari, John, resté à New York, et moi j'ai un frère, John, parti à l'autre bout de l'île. Avez-vous déjà remarqué que malgré la banalité de ce prénom, les John sont en général des êtres infiniment problématiques? John, le mien, a été une source de problèmes à la seconde même où il est né. Vous me direz, on peut en dire autant de chacun de nous. Notre mère est morte prématurément – à l'âge de trente-sept ans – et tous ses cheveux étaient déjà blancs. Un âge très curieux. Et à cet âge-là, chacun de mes frères… Je vous raconterai un jour. Tout se passe bien, au cottage?

— Quelque chose devrait se passer mal?

— Vous pourriez vous lasser du vent, des voisins…

— Il n'y en a pas!

— Des «souvenirs» dont parle toujours Henrietta.

— Pour l'instant, Mary Seddon se montre très discrète.

— *Se montre* très discrète? Cela revient à dire qu'elle ne se montre pas. Je suppose qu'une chimiste américaine n'est ni peureuse ni influençable.

— Je ne suis pas américaine, je suis née ici.

— Bon, je recommence. Je suppose qu'une chimiste n'est ni peureuse ni…

— Je ne sais pas trop.

— De toute façon il n'y a aucune raison d'avoir peur. Mary Seddon est je crois un parfait fantôme. Je ne dis pas un fantôme parfait. Ça, j'imagine que ça n'existe pas. Mais un parfait fantôme, c'est le fantôme tel que le fantôme devrait être, le fantôme le plus conforme à sa nature de fantôme. C'est-à-dire – un être qui passe totalement inaperçu. Qu'on ne voit pas. Qu'on n'entend pas. Qu'on ne perçoit d'aucune manière. Un être totalement soustrait à nos cinq sens. Et même à notre sixième. Une maison où aucune présence n'est détectée est une maison parfaitement hantée.

— Je n'avais encore jamais vu les choses sous cet angle-là.

— Mais aviez-vous un jour pris le temps de penser aux fantômes ? Une chimiste américaine – non, non, ne protestez pas, vous êtes peut-être née ici, d'ailleurs, cet *ici*, où est-il ? – mais vous êtes partie, vos souvenirs sont là-bas.

— Pas du tout.

— Vos souvenirs sont *nulle part*, dans ce cas. Mais pas…

— Regardez, ils arrivent.

— G.M. ! Debbie ! Que faites-vous là ?

– Et vous?

– Reginald veut fêter son anniversaire dans tous les pubs de Grays.

– *Happy Birthday to me! Happy Birthday to me!* Trente ans!

Et déjà ils étaient tous installés, entourant G.M. et Debbie d'une bruyante nuée. Debbie se rapprocha de G.M. Elle se sentait, très légèrement, saoule, alors qu'elle n'avait bu que du café. En regardant Reginald entouré de ses amis, elle pensa à ceux qu'elle n'avait pas encore vus.

– Timothy, Susan, Tessa, Wesley… on dirait que votre univers se dépeuple.

– Notre univers! Vous avez une drôle de façon de vous exprimer, Debbie. Vous parlez des absents. Êtes-vous de ces personnes qui passent leur temps à se lamenter sur l'absence, le passé, le vide – ce qui manque – au lieu de voir ce qui est LÀ. Et *nous*, alors? Reginald, Henrietta, Ewan et moi?

Les neuf amis de Reginald repartirent vers d'autres cieux, un autre pub. G.M. et Debbie, sans interrompre leur conversation, les regardèrent s'éloigner.

– Reginald, Henrietta, Ewan et moi. Et vous-même, Debbie. Lorsque vous pensez aux présents, n'oubliez pas de vous inclure parmi nous. Demain je déjeune avec mon éditeur, vous vous souvenez? Je dois lui annoncer que je ne lui donnerai aucun des guides qu'il m'a commandés.

Je pourrais peut-être lui dire que vous êtes prête à lui en écrire un? Comment vivre avec… À vous de choisir.

— Avec un chat caractériel.

— Exactement l'idée qu'il fallait! Ça lui plaira beaucoup.

— C'était une plaisanterie!

— Je lui donne votre nom, votre adresse, il vous envoie le contrat.

— G.M., ne faites pas cela.

— C'est comme si c'était déjà fait. Ça vous changera les idées. Ça vous aidera à oublier votre John d'outre-Atlantique.

— Je n'ai pas besoin de l'oublier.

— Alors ça vous changera de vos formules chimiques. Comment peut-on passer sa vie à regarder des formules chimiques?

— Je ne passe pas ma vie à…

La porte s'ouvrit de nouveau. Reginald entra, seul, et vint les rejoindre. Il s'écroula sur la banquette.

— G.M., Debbie! Nous avons perdu Henrietta!

— Mais elle était avec vous il y a un quart d'heure!

— Je sais. Mais nous avons une gare. Et le fleuve. Deux manières efficaces de disparaître.

— Pourquoi aurait-elle «disparu»?

— G.M., Debbie, arrêtez de vous chamailler, venez nous aider!

— À draguer les eaux de la Tamise?

— On peut au moins essayer la gare.

— Elle est peut-être partie se promener, tout simplement.

— Nous sommes inquiets parce que Henrietta réagit parfois violemment aux anniversaires.

— Alors pourquoi avez-vous fêté le vôtre ?

— Trente ans ! Comme si j'allais laisser passer ce jour.

— Vous n'étiez pas obligé de le fêter au Theobald.

— Et où, alors ? C'est mon lieu de travail en ce moment, et c'est l'endroit où mes amis passent leur vie.

— Debbie, ce jeune homme n'y est pour rien, croyez-moi. Henrietta donnait depuis plusieurs jours des signes de… Des signes que je connais bien. Mais comme un idiot, j'ai pensé que le mieux était de les ignorer. Reginald, va à la gare, avec tes amis, et renseignez-vous. Si Henrietta a pris le train, que ce soit pour Londres, Tilbury ou Southend, un employé s'en souviendra sûrement.

— Elle a pu prendre son billet au distributeur. Ou monter sans billet.

— Le distributeur… Henrietta ne sait même pas qu'il existe. Monter sans billet ? Elle en aurait plutôt acheté neuf ou dix. Pour elle et ses compagnons. Reginald, vas-y. De mon côté, je vais aller voir du côté du fleuve. Quant à vous, Debbie, le mieux est peut-être de la chercher au hasard, dans les rues. Mais buvons un café bien chaud avant d'aller affronter le froid. Le vent. Voyez-vous,

Debbie, l'une des forces, l'un des courants qui traversent Henrietta, est son refus de vivre au vingtième siècle (ne parlons pas du vingt et unième). Elle fait en sorte de l'ignorer complètement. Mais la tension que cela représente est trop forte. Alors, de temps en temps, Henrietta se conduit comme une égarée.

— Cela arrive souvent?

— Je ne saurais le dire.

— Il fait déjà nuit, on ferait mieux de se dépêcher, plutôt que de rester là comme si de rien n'était!

— Debbie, du calme. Allons-y. Traversez la voie ferrée, essayez les rues du centre-ville. À tout à l'heure. Nous nous retrouvons ici. Avec Henrietta je l'espère. Avec Henrietta.

Et G.M. disparut. Ses paroles se voulaient rassurantes, désinvoltes presque, mais à peine avait-il entendu les mots de Reginald «Nous avons perdu Henrietta» qu'il était devenu livide. Et s'il avait tenu à rester quelques minutes au White Hart, ce n'était pas par insouciance, mais pour permettre au tremblement qui l'avait saisi de se calmer. Debbie aurait voulu lui dire: restez ici, au chaud, nous allons retrouver Henrietta, mais elle savait que rien n'aurait pu forcer G.M. à attendre, à rester passif, pendant qu'Henrietta…

Pendant qu'Henrietta peut-être était rentrée faire la sieste, bien tranquillement. Pourquoi Reginald s'était-il affolé aussi vite? Parce qu'il connaissait Henrietta, alors qu'elle, Debbie, ne voyait encore en elle qu'une douce excentrique ? Jusqu'à présent, Debbie n'avait pas vraiment pris au sérieux le duo G.M.-Henrietta, deux complices, conspirateurs, cachottiers – mari et femme ? frère et sœur ? simples amis ? Ce n'était peut-être pas le moment de s'en inquiéter. Il valait peut-être mieux considérer «la réalité de la situation». Henrietta n'était plus toute jeune (impossible de lui donner un âge, cinquante-cinq ans dans les bons jours, soixante-dix dans les mauvais), elle avait les os fragiles, la vue très basse, il faisait deux à trois degrés dehors, les trottoirs étaient glissants, la pluie et le vent glaçants...

Debbie par une sorte de sursaut de conscience, au lieu de traverser la voie ferrée et de se diriger vers les rues du centre, abritées, éclairées, prit la direction de la Tamise. Le portail «Flood Gate» était fermé, il fallait faire le tour.

Elle longea Argent Street, se forçant à appeler «Henrietta, Henrietta», tout en se sentant ridicule. Le vent lui ramenait aussitôt les syllabes, ri-ye-ta, sans prendre la peine de les porter au loin.

D'habitude, c'est Henrietta qui arpente cette partie de Grays en appelant Dieu sait qui. «Venez, les petits, venez.» Qui appelle-t-on de cette manière ? Les enfants ? Les chats ? Henrietta n'avait pas de chats. Elle avait des fantômes.

À cet instant, un petit chat gris déboula de nulle

part. Près de l'eau, le long du fleuve, à Grays, on ne voit jamais de chats. Qui lui avait dit cela ? La pierre, le métal, la rouille, les immenses bassins de déversement… ce territoire-là n'est pas le leur. Sans réfléchir, Debbie se mit à suivre l'animal, qui s'éloigna du fleuve, prit l'une de ces petites rues sur la droite qu'elle ne connaissait pas encore. Il avançait rapidement, puis s'arrêtait, trois secondes, sans regarder dans la direction de Debbie et pourtant, il s'assurait qu'elle le suivait bien, elle l'aurait juré. Wharf Road. London Road – la grande artère – qu'il traversa sans se soucier d'éventuelles voitures. Il faut dire que toute cette partie de la ville était déserte. À deux pas de la gare, des pubs et du centre, mais une sorte d'arrière-pays silencieux et étrange. Un jeu pour le chat, une marche angoissée pour Debbie. Il finit par sauter sur le rebord d'une fenêtre. Debbie s'approcha, tendit la main pour le caresser. Le petit malin était parfaitement sec. Il se laissa faire, de mauvaise grâce. Puis il se tourna du côté de la vitre. Et attendit. L'espace d'un instant, Debbie crut qu'il l'avait menée au refuge d'Henrietta. Elle traversa la rue, s'abrita sous l'auvent de la maison d'en face. La fenêtre s'ouvrit, le chat se faufila. Puis une femme ouvrit la porte. « Vous devez être glacée. Entrez. » Debbie se retrouva bientôt dans une cuisine bien chaude. Bruit de la télé, cris d'enfants dans la pièce voisine. Sa bonne samaritaine lui expliquait qu'il n'est pas bon de rester dehors sous cette pluie, avec ce vent, si près du fleuve, sans doute allait-elle au cimetière, *l'autre* cimetière, celui de West Thurrock? Mais les morts attendront. «Qu'ils attendent, qu'ils attendent. Si vous prenez froid, ils seront obligés de vous attendre encore plus longtemps.» Debbie ne put que boire le thé brûlant qu'on lui tendait, et acquiescer. Le chat gris, perché sur un placard, la regardait fixement, comme pour lui transmettre un message. Mais lequel? «Maman, il pleut plus, on y va!» Debbie ne vit même pas le petit garçon qui déjà était dehors. Elle se leva: «Eh bien, puisque la pluie s'est arrêtée, je vais en profiter. Merci mille fois, madame.»

La tentation était grande de faire demi-tour, de prendre London Road pour retourner dans le centre. Mais la tentation était grande aussi de continuer ce curieux parcours... Le cimetière, West Thurrock? Était-ce un signe? Était-ce le chemin pris par Henrietta? Les mots de cette femme, le chat gris... Elle devrait peut-être faire un Ghost Walk à Grays elle aussi. La pauvre Tessa qui avait essayé de le faire avait dû partir. Mais Henrietta n'est plus là, la place est libre à présent. Henrietta n'est plus là? Quelle stupide voix! C'était comme une comptine qui se chantait toute seule dans l'esprit de Debbie, «Henrietta n'est plus là».

Dans un éclair de lucidité, Debbie se vit telle qu'elle était à cet instant: les vêtements trempés, en train de s'éloigner sur une route déserte, qui traversait une zone fantôme, l'armature métallique du réservoir à gaz brillant dans la nuit, seul point de repère, tout cela pour aboutir dans un cimetière, à la recherche d'une vieille dame qui était presque certainement au chaud dans l'un des pubs de Grays.

Elle s'immobilisa, et fit demi-tour. Stop! Stop à toute cette folie contagieuse. Croyant prendre un raccourci pour retourner en centre-ville, Debbie prit un chemin qui partait dans la bonne direction, mais qui très vite sembla ne mener nulle part. Le repère du réservoir à gaz était trompeur: il paraissait se déplacer, se retrouver toujours à l'endroit le plus inattendu. Se demandant comment un tel univers – buttes recouvertes de mousses, glissantes et sombres, tas de graviers et de sable blancs, silhouettes fantomatiques des dépôts de pétrole – pouvait coexister avec celui du centre-ville, tellement ordinaire, rues éclairées et animées, se préparant déjà à Noël, Debbie continua, perdant l'espoir de sortir de ce paysage de fin du monde. Enfin, elle vit des lumières, une rue qui semblait normale. Mais c'était les lumières de voitures de police – non, de pompiers. Le choc qu'elle ressentit lui montra à quel point, en fait, elle s'inquiétait pour Henrietta. Elle crut qu'elle allait s'évanouir, mais se força à avancer. Non, ce n'est pas Henrietta, ce n'est pas possible, c'est plutôt toute la ville qui prend feu… un feu encore invisible.

Plus Debbie avançait et plus le nombre de voitures de

pompiers semblait augmenter. Sur la plupart d'entre elles, le gyrophare était éteint. Dans l'obscurité, le vent et la pluie, cette scène était celle d'un cauchemar. Les immenses silhouettes des véhicules dont la couleur était noyée par la pluie, et le silence. L'absence de sirènes. Les voitures étaient arrivées trop tard. Pour des morts. Une morte ? Mais elles n'auraient pas été si nombreuses pour la seule Henrietta. Et maintenant qu'elle était plus près, Debbie se rendait compte qu'il n'y avait nul signe d'incendie, ni d'accident. Alors, pour justifier une telle abondance de véhicules... un effondrement ? Bien sûr, ici, le premier danger auquel on pensait était celui d'une explosion, mais rien n'avait déchiré le ciel et le silence.

Deux minutes plus tard, Debbie était plus proche encore du rassemblement, de la scène de cauchemar. Une sensation inexprimable l'envahit : soulagement et honte, envie de rire et de disparaître sous terre. La scène de cauchemar était la cour de la caserne de pompiers. Les véhicules, certains tout juste rentrés, d'autres restés là pendant la journée, étaient alignés les uns à côté des autres. À leur place. Rien ne s'était passé.

Mais le vent, la pluie, si différente ici de *la sienne*, là-bas, à New York, l'obscurité dans cette petite ville qu'elle connaissait si mal encore, et le climat d'inquiétude généré par Henrietta et G.M.... et ce mois de novembre si propice à la hantise et aux divagations, tout cela s'était ligué pour provoquer cette quasi-hallucination. Et puis ma fatigue. Toutes ces mauvaises nuits, ce mauvais sommeil, ajouta Debbie, sans se soucier de parler à voix haute. «Je suis épuisée.»

Et si Susan revenait, je lui dirais que je veux changer de maison. M'installer n'importe où, mais quitter ce cottage Seddon.

Debbie enfin s'était repérée. À droite, Hathaway Road, qu'il suffisait de redescendre pour se retrouver en pleine ville. Bientôt, elle aperçut un café. Cette partie de la ville, Debbie la connaissait mal. Elle entra, s'installa tout au fond, à côté de la porte qui menait en cuisine.

Cette scène irréelle et ridicule lui avait permis d'ouvrir les yeux sur ce qu'elle essayait de se cacher depuis quelques jours. *Elle ne pouvait plus vivre au cottage Seddon.* Elle ne maîtrisait plus la peur, l'appréhension. Il lui fallait prendre ses dispositions.

La porte s'ouvrit. Une silhouette pas encore tout à fait familière se glissa à l'intérieur du café.

— Je vous cherchais. Ou plutôt, nous vous cherchions.

— Ewan? Henrietta est retrouvée?

— Ne nous occupons pas d'Henrietta pour l'instant. Vous permettez n'est-ce pas? (Un peu tard pour poser la question, Ewan était déjà assis en face de Debbie.) C'est vous que nous cherchions. J'étais avec G.M., près de la salle des fêtes, lorsqu'il vous a « vue ». Il vous a vue vous engager dans le passage qui mène au grand bassin de déversement, vous pencher au-dessus du vide, et il a eu peur pour vous. Le vent, la pluie, le métal glissant à cet endroit. Il s'est mis à trembler. Nous avons fait demi-tour jusqu'au White Hart. Il s'est réchauffé un peu. Mais alors… il vous a « vue » de nouveau. Cette fois-ci, vous aviez glissé, vous étiez tombée sur la grande dalle recouverte de lierre, dans le vieux cimetière. Alors il m'a envoyé vous chercher. Et j'allais m'engager dans l'allée de l'église, lorsqu'il m'a semblé vous apercevoir. Je vous ai donc suivie. Ou plutôt, j'ai suivi une personne qui vous ressemblait, et qui m'a mené jusqu'au musée. J'aurais pu vous appeler, enfin appeler « Debbie » – mais avec le vent, la pluie, cela ne servait à rien. De plus, puisque cette personne n'était pas vous, l'appeler « Debbie » n'aurait provoqué aucune réaction. Quoi qu'il en soit, j'ai décidé de retourner vers le cimetière mais, Dieu merci, les lumières de ce café m'ont attiré. Je voulais juste prendre quelques forces avant de repartir, et vous voilà. Cette fois-ci, c'est bien vous. Je suis très heureux de vous avoir trouvée.

— Mais, Henrietta ?

— Terminez votre boisson, nous allons rassurer G.M. Dommage qu'il ne vous ait pas « vue » tranquillement assise ici. Vous allez terriblement le décevoir s'il apprend qu'au lieu de chercher Henrietta vous vous prélassiez dans un café. Il s'imagine, le pauvre, que vous vous souciez de vos nouveaux amis.

— S'il vous plaît, dites-moi ce qui est arrivé à Henrietta.

— Je ne sais pas. Je suppose que les autres la cherchent encore. Mais s'il arrive quelque chose à Henrietta, tout le monde dira « ça devait arriver ». Alors que s'il vous arrive quelque chose à vous… Enfin, allons-y.

Le trajet fut silencieux. Il ne fallait en fait que quelques minutes, lorsqu'on ne se perdait pas dans les cercles extérieurs de Grays, pour aller d'Hathaway Road au White Hart. Ewan ouvrit triomphalement la porte du pub, où il avait quitté G.M. une demi-heure plus tôt. Personne. Le serveur avait bien remarqué G.M., oui, mais il s'en était allé sans laisser de message. « Essayons le Theobald. » Mais le Theobald était fermé, Reginald n'était pas revenu.

— Le mieux serait peut-être de rentrer à la maison. Je vous raccompagne, Debbie ?

— Non, non, merci. C'est tout près.

— Tout près ? Le cottage Seddon ?

Ewan la regarda, haussa légèrement les épaules. « L'exposition à des champs de radiofréquences perturbe l'activité électrique du cerveau. *Dixit* le NRPB, National Radiological Protection Board si vous ne le savez pas encore. Bonne nuit, Debbie. »

Ce soir-là, Debbie n'était pas ressortie. Elle avait eu son plein d'errance dans les rues et les passages de Grays, le plein de froid, de pluie, de vent. Et puis elle s'inquiétait encore pour Henrietta. Pour la première fois, elle avait regretté l'absence de téléphone dans la maison. « Bien entendu, nous n'avons pas voulu détériorer le cottage. Mais ça n'a pas d'importance, n'est-ce pas ? Avec cette mode des portables, les maisons n'ont plus besoin de prise téléphonique. » Debbie n'avait pas jugé bon de dire à Susan, en cette première et unique rencontre à l'agence, qu'elle n'avait pas de téléphone portable. Susan ne lui avait d'ailleurs pas demandé son numéro. Et jusqu'à présent, Debbie avait été plutôt heureuse d'être injoignable. Alors que là, elle aurait bien aimé entendre la voix de G.M., ou de Reginald, ou d'Ewan, ou mieux encore, celle d'Henrietta.

Le lendemain matin, elle prit son temps, flâna du côté du fleuve avant de se diriger vers la gare. C'était ce qu'elle aimait, dans sa nouvelle ville : la Tamise, le cottage et la gare, à quelques minutes les uns des autres. Et, de Grays à Londres, sept stations seulement, sept fois cinq minutes. Ce matin, elle avait raté son train habituel. Elle se dirigea vers le Milky, à quelques mètres de la gare. Henrietta était assise, seule, tout près de la porte, le regard tourné vers les quais. Debbie vint s'installer en face d'elle. Henrietta était pâle, le visage défait, les yeux gonflés. Comme si elle avait pleuré des heures et des heures.

— Désolée pour hier, Debbie. Je voulais juste aller voir mon frère, une impulsion irrésistible. J'ai lâché Reginald, je suis venue ici, j'ai pris le train de Londres. Arrivée à Fenchurch Station, je n'ai pas su quel train prendre, vers quelle autre gare me diriger. J'ai quatre frères, vous savez. J'ai eu la certitude absolue que l'un d'eux avait besoin de moi. Avez-vous déjà ressenti cela, Debbie? La certitude est totale, ne laisse place à aucun doute. Le problème, c'est que je n'ai pas su lequel des quatre m'appelait. Ils sont dispersés dans toute l'île. Je suis sortie de la gare, cette étrange gare de Londres qui ne dessert que notre région, j'ai marché jusqu'à la station de métro Tower Hill, j'ai descendu les marches, et dans le hall j'ai attendu, hésité. Où aller maintenant? Gare de Paddington, gare Victoria? Je me suis récité ces deux noms, Paddington, Victoria, en même temps, je voyais le visage de chacun de mes frères, mais je ne reconnaissais pas la voix. Et puis subitement, la voix s'est tue. Les visages se sont effacés. Je suis retournée à mon point de départ, j'ai repris le train en sens inverse, Limehouse, West Ham, Barking, Dagenham Dock, Rainham, Purfleet – Grays. Hier soir, lorsque G.M. et Ewan m'ont raconté que vous-même, Debbie, étiez partie à ma recherche, que vous aviez, la nuit tombée, sous la pluie, parcouru toutes les allées du cimetière – celui de West Thurrock –, que vous aviez regardé derrière chaque pierre haute, chaque arbre, et qu'ils vous ont trouvée, à demi morte de froid, perdue dans ce territoire inconnu, j'ai eu honte, j'ai voulu passer au cottage pour vous remercier, mais ils m'en ont dissuadée, me disant que vous étiez au lit, que vous aviez besoin de sommeil pour combattre l'effet du froid et de la pluie. J'espère que ce matin vous êtes tout à fait rétablie, Debbie. Je suis désolée. Je n'imaginais pas que les autres allaient réagir comme cela. Je croyais avoir crié à Reginald : « Je vais à Londres », mais il a affirmé que j'ai disparu sans prévenir. Quel stupide malentendu. Tout ça pour un frère… pour un appel dont je n'ai pu identifier la provenance. Ce matin, je suis revenue là, à la gare. Je vais peut-être recommencer. Reprendre le train de Londres. Et ce matin, peut-être, un seul des deux noms se récitera dans mon esprit : Paddington, Victoria. Peut-être entendrai-je de nouveau *« sister, sister »*, mais aujourd'hui je reconnaîtrai la voix. Ou bien je retournerai au métro Tower Hill, je prendrai la ligne Circle au hasard : dans un sens, Paddington, dans l'autre, Victoria. Ou bien, comme hier, je ferai demi-tour. C'est peut-être *ici* qu'on a besoin de moi. Debbie, votre train arrive.

— Je vais prendre le suivant. Puisque j'en ai raté un, je peux bien en rater deux.

— Merveilleuse philosophie. Quelquefois, Debbie,

je reste toute la matinée ici. Mon Ghost Walk commence d'ailleurs à la gare, quai numéro un. Je ne vous demande plus de venir. Je crois que c'est une mauvaise idée. Voyez-vous, nous pensions qu'en tant qu'Américaine, vous ne seriez pas du tout impressionnable. Mais vous êtes tellement différente de celle que nous imaginions.

— Je ne suis pas américaine.

— Comment !

— Je l'ai déjà dit à G.M. Je vis… Je vivais là-bas, mais je suis née en Angleterre.

— Vous l'avez dit à G.M. ? Mais quand ?

— Oh, je ne sais plus. Quelle importance ?

Henrietta ne répondit pas. Elle semblait abasourdie, désespérée. Elle est vraiment malade, pensa Debbie. Pas étonnant qu'ils se soient tant inquiétés hier.

— Nous aimons l'hiver ici, murmura Henrietta d'une voix tranquille. Vous avez choisi le bon moment. Vous repartez à Pâques je crois. Mais n'y pensons pas. Nous ne sommes qu'en novembre. C'est la première chose que j'ai apprise des fantômes, Debbie. Le moment présent. Ni passé ni futur. Le présent. Vous pensez que je suis une vieille folle ? Et pourtant vous me comprenez, je le sais.

— Cette fois-ci, je dois y aller. Je ne peux pas rater un troisième train. À ce soir, Henrietta.

— À ce soir ? À ce soir, Debbie.

— Ewan! Je ne vous avais pas vu! Il n'y avait personne sur le quai. Je me faisais justement la réflexion que j'étais la seule voyageuse à monter à Grays.

— J'étais déjà à l'intérieur. Tôt ce matin, je suis allé à Tilbury. J'aime ce trajet qui longe les entrepôts, j'aime cette impression que toute civilisation a disparu, ne laissant que ces bâtiments immenses qui s'étendent à l'infini. Puis j'ai repris le train en sens inverse, direction Londres. C'est Henrietta qui m'en a donné l'idée. Je vais m'arrêter à chaque gare, à chaque arrêt j'ai un ami. Pas un ami qui m'attend sur le quai, non, pas ce genre d'ami. Mais un ami qui un jour a habité là, Purfleet, Barking... Ou bien, est né là. Ou bien, mort là. J'ai aussi un nombre de cousins relativement élevé. Nous sommes une grande famille. Tout se passe bien, au cottage Seddon?

— Tout le monde me pose la question. Vous vous attendez donc à ce que ça se passe mal!

— Pas du tout. Mais nous sommes soucieux. Si un jour, il vous semble que nous sommes fatigants, si un jour, vous êtes fatiguée de l'excentricité de G.M., d'Henrietta, de John, de Wesley, venez me voir. Je suis le plus raisonnable de tous. Je suis désespéré à la pensée de l'atmosphère saturée dans laquelle nous devons vivre, mais celui qui ne le serait pas, ce serait lui l'insensé. Vous êtes d'accord n'est-ce pas? Vous pourriez d'ailleurs très bien, un jour, devenir comme moi. À votre travail, vous passez des heures et des heures avec des données alarmantes. Un jour peut-être vous sauterez le pas. Lorsque vous quitterez Watercare le soir et reprendrez le train pour Grays, vous prononcerez tout haut quelques-unes de ces données qui constituent la base de votre travail. Ça se fera tout seul. Ce sera votre cerveau, seulement votre cerveau. Saturé d'informations, qui plus est d'informations inquiétantes, il en laissera échapper quelques-unes, simplement pour relâcher la pression. Ou même, plus simplement encore, parce qu'il continuera de travailler, dans le train. Vous aurez un livre ouvert devant vous, ou un journal, mais vos voisins de compartiment entendront réciter la litanie des contaminants dont vous dressez le bilan à Watercare. Ils vous regarderont avec curiosité. Puis cesseront de faire attention à vous. Vous ferez partie du paysage, comme Henrietta. Comme moi.

— Quel drôle d'avenir vous prévoyez pour moi!

— Je prévois un drôle d'avenir pour *tout le monde*.

— Et vous dites que vous êtes le plus raisonnable de tous!

— Qu'y a-t-il de plus raisonnable que l'inquiétude concernant ce qu'on appelle de manière si banale notre *environnement*? Henrietta s'occupe de ses fantômes. G.M., de tout et rien. John, de l'érosion de la côte. Wesley, lui, ne pense qu'à… Vous ne le connaissez pas encore je crois?

— John non plus. Pas encore.

— Nous voici à Purfleet. Les interférences entre les très basses fréquences et les ondes du cerveau, l'université de Warwick commence seulement à les étudier, Debbie. Je vous conseille de vous renseigner un peu. Le professeur Hyland, c'est à lui qu'il faut s'adresser. Bon… À ce soir, Debbie.

Les heures passées chez Watercare, dans une salle aux quatre parois vitrées, Debbie pensait sans arrêt à G.M., Henrietta, Ewan… Elle avait beaucoup de mal à se concentrer, les erreurs allaient se glisser dans ses colonnes de chiffres et ses formules, et elle serait obligée de tout reprendre. Une fois rentrée «chez elle», à Grays, elle aurait dû s'enfermer dans la pièce qui lui servait de bureau pour rattraper le temps perdu. Mais bien évidemment, une fois «chez elle» – au cottage Seddon –, elle n'avait pas la tête au travail.

Rattraper le temps perdu. De plus en plus souvent, cette sensation d'urgence – non, de retard – l'envahissait. Un morceau de temps manquait. Était-ce une question d'âge, déjà ? Ou bien, était-ce le décalage horaire, dont l'effet, loin de s'atténuer, s'accentuait ? Entre New York et ici – six heures – c'était comme un gouffre qui ne cessait de se creuser, encore et encore. Ou bien était-ce un effet du cottage ? Du périmètre ici, à Grays, tracé par Henrietta ou peut-être bien avant elle.

À présent, c'était de l'angoisse pure qui l'assaillait, le soir et la nuit, au cottage Seddon. Ses recherches pour trouver une biographie complète avaient échoué. Debbie avait d'abord pensé que les personnes concernées à Grays s'étaient entendues pour faire disparaître les documents relatifs aux dernières années de Mary Seddon, c'est-à-dire sa vie au cottage. Pour éviter au locataire (à *la* locataire) toute source d'inquiétude, toute idée funèbre. L'esprit est impressionnable, la suggestion dangereuse. Mais si on avait mis autant de soin à dissimuler les traces des dernières années de Mary Seddon, c'était donc qu'elles étaient particulièrement effrayantes (alarmantes, dirait Ewan). Et cette pensée, le soir, dans le cottage, n'était pas loin de terroriser Debbie. Pourtant, une biographie trouvée à Londres n'abordait pas non plus les dernières années : la « conspiration » ne pouvait s'étendre jusque-là. Les dix dernières années de Mary Seddon étaient peut-être totalement sans intérêt. Peut-être, une fois à Grays, s'était-elle perdue dans la contemplation des éléments – ciel et fleuve, fumées et lueurs des usines de l'autre rive, interminables étendues de limon à marée basse – et avait-elle oublié tout à la fois d'écrire et de vivre. Son quotidien s'était peut-être réduit à s'occuper de son jardin (Debbie s'aperçut qu'en fait elle n'avait pas vu le moindre jardin à Grays). Dans ce cas, Debbie n'avait pas de raison d'avoir peur dans le cottage. Mais chaque soir, à l'instant même où elle arrivait à cette conclusion, un bruit la faisait sursauter, un souffle d'air semblait s'approcher. Un *signe* se produisait.

Un signe? Debbie haussa les épaules. Un signe de ma débilité mentale. Mary Seddon s'est-elle suicidée? Non… Debbie ne l'avait jamais vue citée dans les listes des écrivains, poètes ou artistes «maudits», «torturés».

Mary Seddon était morte depuis trente ans. Susan, en cette unique demi-heure passée ensemble, lui avait dit: «Le cottage est resté inoccupé depuis l'année de la mort de Mary Seddon. La famille avait d'autres soucis. Les choses ont traîné. Tout a été refait à neuf bien entendu – l'année dernière – mais avec le plus grand respect, pour conserver le cachet d'origine.»

Debbie fit le tour de la pièce du regard. Inoccupé depuis trente ans?

«La famille avait d'autres soucis?» La *famille*.

Le panneau «Nous sommes absents» était accroché à la poignée de la porte, mais G.M. était bien visible, à l'intérieur, en train de téléphoner. Debbie frappa. G.M. leva les yeux, l'aperçut, raccrocha, et se leva pour lui ouvrir.

— Vous n'aviez qu'à pousser, ce n'était pas fermé. J'étais justement en communication avec Susan. Elle est… retenue encore un certain temps. Je lui ai dit de ne pas s'inquiéter. L'hiver, les affaires sont quelque peu ralenties.

— J'espère qu'il n'y a rien de grave ?

— Difficile de répondre. Dans un sens, si. Il s'agit de sa mère. Elle n'est pas très âgée, mais déjà atteinte d'une maladie dégénérative. Une fois par an, à une période imprévisible, Eleanor — c'est son prénom — déjoue toutes les tentatives de surveillance de sa maison de repos pour aller à Harwich, attendre le ferry en provenance de Hambourg. Les premières années, ils essayaient de l'en empêcher. Cela se passait très mal. Mais depuis deux ans, ils lui accordent cette fantaisie. À la condition que Susan l'accompagne. Elles restent des heures, pendant plusieurs jours, heureusement il y a ce grand café d'où l'on peut assister à l'arrivée des bateaux. Sinon, Eleanor attendrait dehors, sans se soucier du temps. Les vents sont très violents à Harwich. Presque autant qu'ici. Bon, j'ai une visite — je veux dire, je dois faire visiter quelque chose — à 10 heures. Vous aviez une question à me poser, Debbie ?

Debbie n'avait pas l'habitude de ce G.M. professionnel, froid, à cheval sur l'horaire.

— Vous m'aviez parlé — ou plutôt, Susan m'avait parlé — de la famille de Mary Seddon qui pendant longtemps ne s'est pas souciée du cottage.

— La famille ? La famille de Mary Seddon se compose en tout et pour tout d'une fille. Thelma. Wilma ? En quoi cela vous intéresse-t-il, Debbie? Vous n'êtes pas une littéraire. Vous n'allez pas abandonner vos sacro-saintes formules chimiques pour vous consacrer à l'œuvre ou à la vie d'une obscure poétesse de seconde zone?

— C'est ainsi que vous considérez Mary Seddon?

— Eh bien… non. Je ne l'ai jamais lue. Mais ne peut-on pas dire de tous les poètes qu'ils sont obscurs et de seconde zone? Après… disons, Shelley, Byron… n'est-ce pas le destin de tous ces poètes plus contemporains?

— Pouvez-vous me donner l'adresse de Thelma? Ou Wilma.

— Je crois que c'est Selma. Oui, c'est ça. En hommage à la Suédoise. Vous savez, celle avec l'oie. Non, vous ne savez pas. *Le Merveilleux Voyage de Nils Holgersson à travers la Suède.* Qu'importe. Selma Seddon vit à New York. Mais je ne suis pas autorisé à divulguer ses coordonnées.

— G.M.! Je ne vous reconnais plus. Faut-il que je vous repose la question tout à l'heure, au Theobald?

— Inutile, Debbie. Selma veut garder l'anonymat et tient à la discrétion. Si vous voulez son adresse, trouvez-la. Retournez à New York, si vous voulez voir Selma Seddon. Ne comptez pas sur nous. Mais, Debbie, si vous avez un problème avec Mary Seddon, pourquoi ne pas vous confier à *moi*?

— C'était ce que je comptais faire, mais maintenant il n'en est plus question. Je me débrouillerai toute seule.

— Toute seule! Comme si vous étiez toute seule!

S'il y a quelqu'un qui n'est pas seul, c'est bien vous! Je n'ai jamais vu, de ma vie, une telle armée. Une telle cohorte. Henrietta en est jalouse. La pauvre Henrietta…

— Je vous retrouve enfin, G.M. Lorsque vous vous mettez à dire des bêtises comme cela, je sais que vous êtes redevenu vous-même.

— Des bêtises ? Oh, vous avez encore beaucoup à apprendre, Debbie.

— Vous allez être en retard, G.M.

— En retard ?

— Il est 10 h 10. Votre visite. On vous attend pour une visite, n'oubliez pas.

G.M., Henrietta, Ewan… trois êtres ayant perdu le contact avec la réalité. Entrer dans leur monde, c'est laisser tout repère. John, Wesley et Timothy… Debbie ne savait pas pourquoi, mais ces trois-là, elle les imaginait normaux, menant une existence tout à fait normale. Mais ils étaient absents. Et n'avaient apparemment aucun lien avec Mary Seddon. Susan, Tessa, Selma. Ces femmes possédaient chacune une clé qui ouvrait le domaine Mary Seddon. Mais elles étaient toutes trois absentes elles aussi. Selma à New York, ironie des déplacements, des trajectoires qui se croisent. Susan était à Harwich, guettant le prochain ferry de Hambourg avec sa mère Eleanor. Restait Tessa. Pourquoi penser qu'elle aussi avait un lien avec Mary Seddon? Henrietta avait dû laisser échapper quelque information qui le fasse supposer. Tessa semblait s'être immergée profondément dans la vie, passée ou présente, de Grays. Quel prétexte invoquer pour demander son adresse? Et à qui? G.M. commencerait à se poser des questions si, après celle de la fille de Mary Seddon, elle se mettait en quête de l'adresse de Tessa. À Henrietta? Ewan? Reginald? Reginald.

– Moi, les adresses, ce n'est pas mon truc. Il faut demander à Susan. Ou à G.M. Enfin, à quelqu'un de l'agence, je n'ai jamais su combien ils étaient. Moi, je ne suis ici que de passage. Je remplace Timothy, je dors dans le studio à l'arrière, personne ne sait que je vis là, ma dernière amie me croit mort, celle d'avant me croit en Australie, je ne reçois aucune facture, les services administratifs ne me connaissent pas. C'est en quelque sorte mon idée fixe, Debbie. Passer entre les mailles du filet. N'être inscrit sur aucune liste. Être absent de leurs fichus ordinateurs. Vous me direz, c'est impossible. Eh bien, je crois y être arrivé. J'ai quitté l'école à dix-huit ans, je ne me suis jamais inscrit nulle part, je n'ai jamais rien déclaré, rien demandé. Si je dois me faire opérer ou soigner, que Dieu me vienne en aide. Jusqu'à présent, j'ai réussi à ne pas me faire repérer. Ici, je suis bien. Timothy a compris tout de suite. G.M., Henrietta, Wesley, John, Ewan sont comme une famille pour moi, et si un inspecteur quelconque venait s'informer à mon sujet, G.M. et Henrietta se feraient un plaisir de le renseigner. Ils parleraient de moi comme si j'étais un fantôme d'Henrietta. Je lui ai dit d'être prudente, je ne voudrais pas qu'à cause de moi on vienne se pencher sur *sa* santé mentale. Mais elle s'en moque. Elle dit qu'elle ne risque rien. Que je ne dois pas m'inquiéter. Mais pour revenir à votre question, Debbie… Je suis désolé mais je n'ai aucune idée de l'endroit où est partie vivre Tessa. Je n'écris pas de lettres, je ne téléphone pas. Je ne veux pas laisser de traces. Vous savez, l'autre jour, si j'étais si heureux de fêter mon anniversaire, c'est parce que je n'y croyais pas. Passer le cap des trente ans sans m'être fait repérer par une administration !

— Eh bien, félicitations !

— Seulement, j'aurais dû faire plus attention à Henrietta.

— Mais il n'y a pas eu de mal. Puisqu'elle a simplement pris le train de Londres.

— Oui bien sûr. Mais quand même. Pauvre Henrietta… Debbie, je me suis confié à vous. Si un jour on vous questionne à mon sujet, vous ne savez rien, n'est-ce pas ? Excusez-moi, un client me fait signe.

Debbie sans réfléchir se retourna. Puis reprit la lecture de son livre de poche. Et elle qui croyait que Reginald était le plus normal de tous. À cet instant, deux individus en costume gris foncé entrèrent dans la salle. S'installèrent tranquillement l'un à côté de l'autre. Balayèrent la pièce du regard, discrètement. L'un d'eux sortit un carnet de cuir. Debbie jeta un coup d'œil à Reginald, qui s'efforçait de prendre l'air du barman modèle. Et voilà comment la paranoïa commence. Ou se transmet. Elle tendit l'oreille. Les deux nouveaux venus parlaient à voix basse. Puis G.M., Henrietta et Ewan firent leur apparition. Ils se dirigèrent droit vers la table de Debbie qui bientôt oublia les deux « inspecteurs ».

Une vie nouvelle. Laisser derrière soi le pays, la ville, la personne avec qui vous vivez depuis quinze ans. Venir vivre, seul, seule, de l'autre côté de l'océan. Cette vie nouvelle est censée propice à une grande prise de conscience, une rétrospective animée de tout ce qui a déjà eu lieu. Mais, depuis son arrivée à Grays, Debbie était totalement absorbée par son nouvel entourage, comme si les décennies passées n'avaient pas existé. Une sorte de symbiose inattendue s'était produite. Depuis qu'elle avait ouvert la porte de l'agence et parlé à Susan, c'était comme si elle était entrée... dans sa propre vie, dans un rêve plus réel que toute réalité. La seule chose qui l'ennuyait, c'était cette sorte de peur qu'elle ressentait la nuit au cottage. Il y avait quelque chose qui n'allait pas. Elle avait lu toute la poésie de Mary Seddon. Les deux biographies qui lui étaient consacrées. Elle avait vu une dizaine de photographies. Le visage, la vie, les poèmes de Mary Seddon. Rien de ce que Debbie voyait, savait d'elle, ne provoquait une réaction de malaise, d'appréhension. Rien n'indiquait la maladie mentale, une souffrance excessive, un suicide. Alors pourquoi cette peur, dans le cottage Seddon ? Simple réaction de *l'Américaine*, comme l'appelaient Henrietta et G.M., à une maison ancienne dans le vieux monde ? Non, c'était autre chose. Le drame ou la souffrance, dont il lui semblait percevoir l'écho, dataient-ils d'une période ayant précédé le passage de Mary Seddon ? Comme elle aurait aimé poser ces questions à Susan.

Ou à Henrietta peut-être ? Ce soir, en entrant au Theobald, Debbie avait espéré la trouver. Mais pour l'instant, il n'y avait personne. Devait-elle aller lui rendre visite chez elle ? Debbie ignorait son adresse. Et même si elle l'avait connue, elle n'aurait pas imaginé surprendre Henrietta dans son cadre de vie.

Debbie s'apprêtait à quitter le café, lorsque Ewan entra. Ewan… Lui peut-être saurait lui répondre.

— Qui vivait au cottage Seddon avant Mary Seddon ? Mon Dieu, Debbie, comment pourrais-je le savoir ? Je ne suis pas un spécialiste du passé, vous le savez. Ni des maisons. Si c'est important, vous pouvez le demander à

Susan. Mais en quoi cela pourrait-il être important? Vous avez la manie de la reconstitution, comme vos compatriotes, les Américains?

— Je ne suis *pas* américaine! Je sais que G.M. et Henrietta m'appellent comme cela, *l'Américaine*, mais...

— Ils ne vous appellent pas l'Américaine! Vous faites injure à leur imagination! Ce serait trop banal.

— Alors comment m'appellent-ils?

— Découvrez-le sans moi. Puisque vous aimez les devinettes. Pour en revenir au cottage, il ne faut pas déranger Susan avec des détails pareils, elle a bien des soucis là où elle est, vous êtes au courant je crois – Eleanor, Harwich, Hambourg. J'ai suggéré un jour à Susan qu'elle parte avec Eleanor, qu'elles prennent ce ferry au lieu de l'attendre, mais Eleanor n'a pas voulu. Tiens, *les* voilà.

Les deux «inspecteurs» s'installèrent à la même place que la veille. Trop loin pour qu'Ewan et Debbie puissent entendre leur conversation. Néanmoins, tacitement, ils se turent, dans l'espoir de saisir quelques mots échappés de la voix de ces deux étranges individus.

— J'ai bien peur qu'*ils* ne soient là pour Henrietta, finit par murmurer Ewan.

— Henrietta? Pourquoi...

— Je vous expliquerai plus tard. À moins qu'ils ne soient venus mesurer les taux de contaminants, comme vous, mais au lieu de le faire bêtement devant un écran, ils viennent sur le terrain.

— Bêtement devant un écran, merci pour moi. Vous ne connaissez pas mon travail.

— Oh si, je connais tout sur le sujet. Et il vaut mieux que je ne l'aborde pas, je ne sais pas m'arrêter. Je sais que vous vous trompez, lorsque vous cherchez à deviner le futur à partir du passé. Ne vous occupez pas du passé, Debbie. Rien de ce qui vient de loin ne peut nuire. Ce qui compte, ce qui nous perturbe, ce qui nous tue, ce sont les ondes invisibles mais *nouvelles,* ou plutôt, nouvellement propagées par l'homme. La saturation électromagnétique, Debbie, c'est plus dangereux encore que les retombées nucléaires et les contaminations chimiques. Nous nous entourons, nous entourons la terre de cette épaisse couche électronique qui nous étouffe, nous asphyxie et va nous couper du reste de l'univers. De nos amis des confins, quels qu'ils soient. Après avoir détruit végétaux, animaux, minéraux. Si j'avais votre âge, Debbie, j'essaierais d'agir, d'éveiller les consciences, de faire entendre ma voix.

— Je crois que pour faire entendre votre voix, c'est fait, chuchota Debbie en souriant.

En effet, les deux « inspecteurs » depuis un petit moment s'étaient tus, et écoutaient Ewan, bouche bée ou presque.

— Eh bien, tant mieux! Qu'on m'entende!

— Ewan, Debbie, je n'ai pas encore eu le temps de venir vous parler. G.M. est parti!

– G.M.?

– Parti?

– C'est Henrietta qui me l'a dit tout à l'heure. Elle l'a accompagné à la gare, puis elle est venue ici prendre un café. Elle répétait : « Parti... un par un ils partent, un par un ils reviennent. »

– G.M. aurait dû m'avertir. Et l'agence, qui s'en occupe?

– Je ne sais pas.

– Je vais aller voir tout de suite. Vous venez avec moi, Debbie?

– Malheureusement je dois rentrer, j'ai du travail.

– J'espère que vous n'avez pas apporté un *écran* dans le cottage!

– Non, rassurez-vous. Je m'éclaire à la bougie et je tourne les pages d'un livre.

– Ne vous moquez pas de moi. Les ondes électro-magnétiques, c'est *le mal*. Les yeux et les paupières les absorbent de manière significative, je peux vous faire lire l'étude que vient de publier le NRPB.

Reginald et Debbie le regardèrent quitter le café, avant d'échanger un sourire. Ewan, l'obsédé des ondes...

Ce n'est plus à 6 heures du matin que Debbie est réveillée en sursaut, mais à 5 heures. Réveillée comme si on lui tapait sur l'épaule. Comme si une voix venait de l'appeler. Non. L'écho ne dit pas «Debbie», mais «Mary».

En novembre, à 5 heures du matin, dans le comté de Thurrock à l'est de l'Angleterre, la nuit est profonde. La lune, souvent cachée. Debbie essaie de se rendormir. Au bout de quelques minutes, elle finit par se lever. Elle se dirige vers le petit bureau dans l'angle de la chambre, ce bureau qu'elle a déplacé ou, plutôt, remis à sa place.

Elle enfile un pull-over, s'assoit. À 5 heures du matin, au réveil, l'esprit n'est prêt à rien. Tout semble vain. Cet été, elle sortira, elle ira marcher le long de la Tamise, le chemin est aménagé, longue perspective coupée par les bassins de déversement qui donnent à cette promenade un aspect si étrange. L'été, elle ira explorer les berges du fleuve, et trouvera un refuge. Un endroit qui deviendra le sien.

Il suffit de trouver le mien.

Le froid transperce Debbie. Le silence de la pièce est insupportable. Pourtant, elle ne peut imaginer le rompre – l'agresser. Agresser la présence qui, elle le sait, ne quitte jamais ce lieu.

Tout à l'heure, je demande à G.M. de me trouver un autre logement.

G.M. est parti.

Demain je vais à l'hôtel. Ou même, à Londres.

Pourquoi est-elle venue habiter ici, de tous les points de chute possibles pour un nouvel arrivé qui travaille à Londres et ne peut se permettre d'y loger, pourquoi est-elle venue à Grays?

– Lorsque G.M. n'est pas là, ils respirent un peu. Enfin, c'est une manière de parler. Voyez-vous, Debbie, G.M. sous ses allures sérieuses n'aime rien tant que se moquer de tout et de tout le monde. Le pauvre, il n'a pas le choix. C'est sa nature. C'est tout à fait désespérant : il y a quelque chose en lui qui tourne tout en dérision. Une mélancolie peut-être ? Chaque fois que j'ai cru le comprendre, le cerner – est-ce qu'on peut dire cela ? – je me suis vite rendu compte que je me trompais. Et j'ai renoncé, j'ai compris que G.M. est un être totalement insaisissable. Il suffit de le regarder pour qu'il change de forme, c'est presque comme... comme s'il n'existait pas vraiment. Vous allez penser : cette pauvre Henrietta, elle est folle. Elle aime tellement les fantômes qu'elle attribue leurs caractères à tout le monde, elle transforme tout le monde en fantôme. Mais ce n'est pas ça, Debbie. Vous devez me croire. Je suis un peu toquée, si vous voulez, mais il y a une partie de moi qui ne l'est pas. Si je peux faire une parenthèse, je dirais que c'est l'endroit qui rend les gens « toqués » ici. C'est physique. Ou physico-chimique. Une question d'atmosphère, de particules, d'ondes – Ewan vous expliquerait mieux que moi. Le comté de Thurrock est un point géographique très particulier. Je me demande souvent si c'est pour cela que nos fantômes sont heureux comme des poissons dans l'eau, ici. Peut-être vaut-il mieux dire : des oiseaux dans le ciel. C'est ce que j'étais en train de vous expliquer : ici, ils respirent.

    — Plus exactement, vous avez dit : « *Lorsque G.M. n'est pas là*, ils respirent. »

    — Je sais ! Vous êtes une vraie machine à enregistrer, Debbie. Aucun mot que vous entendez ne se perd, n'est-ce pas ? Je me souviens très bien de ce que j'ai dit. Lorsque G.M. n'est pas là… Et c'est bien triste pour moi de devoir admettre que mon ami, mon frère dérange les fantômes. C'est son esprit railleur, sa tendance maladive à la dérision : ça les atteint en plein cœur. Les plus résistants sont un peu vexés. Les plus fragiles, complètement perturbés. Si encore G.M. ne s'occupait pas d'eux, s'il les laissait tranquilles, s'il avait sa propre préoccupation. Mais non ! Et c'est là son mal. Il vit au gré des préoccupations des autres. Il observe, il analyse, il a une faculté extra-ordinaire à comprendre, à saisir. Il aurait pu accomplir les plus grandes choses. Mais il ne veut rien faire. Il vit sans vision intérieure, sans passion, sans courant dominant. Il est désespéré, et nous ne pouvons rien pour lui. Je vous ai dit tout cela, Debbie, car je sais qu'il est parfois un peu déconcertant. Et que les autres réagissent souvent de façon excessive – dans un sens comme dans un autre. Certains le détestent – ils ont été vexés, comme mes fantômes, par l'une de ses remarques, ils n'ont pas compris qu'il parle toujours au second degré, dans une sorte de rêve éveillé. Et d'autres… tombent dans l'adoration. Comme Tessa par exemple, qui nous a rendu la vie impossible pendant des mois. La pauvre Tessa.

— En parlant de Tessa, j'aurais justement aimé savoir…

— Non, Debbie! Ne parlons pas de Tessa. Oublions-la. Oublions-la. J'ai eu tort de mentionner son nom. Lorsqu'elle est partie, j'ai fait le vœu de ne jamais parler de Tessa.

— J'aimerais juste avoir son adresse.

— «J'aimerais juste avoir son adresse»! Comme si ce n'était rien, une adresse! Localiser une personne, ça peut servir à tant de choses. Il suffit d'une adresse, et l'on sait *où* envoyer les forces mauvaises. À commencer par la police!

— Vous me semblez bien paranoïaques ici à Grays!

— Nous avons des raisons de l'être. Pour en revenir à Tessa, je ne vous donnerai pas son adresse. Vous ne la connaissez pas. Vous ne l'avez jamais vue. Vous ne savez d'elle qu'une chose: elle n'est plus là. Alors laissez-la tranquille. Pourquoi la voulez-vous, cette adresse?

— Par simple curiosité. N'oubliez pas que vous m'avez tous accueillie par un «Vous ressemblez tellement à Tessa!». Alors l'idée m'est venue de…

— Maintenant que je vous connais mieux, je ne dirais plus que vous ressemblez à Tessa. Vous avez ce qui lui manquait tant : le sens du temps. *Votre* sens du temps. Le passé laissé en Amérique, le présent à Grays, l'avenir en Amérique, vous...

— L'avenir en Amérique ? Comment pouvez-vous dire cela ?

— Simple bon sens. Vous êtes ici entre parenthèses. Ce travail vous a permis de venir en Angleterre, mais votre contrat n'est que de six mois, renouvelable il est vrai.

— Comment savez-vous cela ?

— G.M. G.M.... Il sait tout, je vous l'ai déjà dit.

— Et comment savez-vous que je vais repartir aux États-Unis ? Je n'en ai nullement l'intention.

— Nous sommes toujours les derniers informés de ce qui *nous* concerne. Ceux qui nous entourent savent toujours bien avant nous ce que nous allons faire.

— En ce qui *me* concerne, je compte rester ici. Je voulais d'ailleurs demander à G.M. de me trouver une autre location.

— Une autre location ! Ce n'est pas possible.

— Vous ne travaillez pas à l'agence, que je sache. G.M. me trouvera quelque chose. En fait, je voudrais emménager le plus rapidement possible. Quand doit-il rentrer ?

— G.M. ne me tient pas au courant de la moindre de ses allées et venues. Il est libre, *lui*. Alors que vous, Debbie, vous agissez toujours sous la contrainte. Une contrainte imaginaire, inexistante bien sûr ! Votre esprit est surchargé de considérations inutiles. C'est peut-être en cela que malgré tout vous ressemblez à Tessa. Elle se croyait tenue de respecter mille règles imaginaires que son esprit inventait au fur et à mesure pour la tourmenter. C'est pour ça que je n'ai pas voulu qu'elle fasse son propre Ghost Walk — et pas du tout par jalousie comme on a pu le dire. Pour s'occuper de fantômes il faut un esprit libéré, léger. Une insouciance profonde, libre de principes, de peurs, de préoccupations. Et de présupposés. Ne pensez pas que je m'amuse avec ces assonances, Debbie. Chaque mot est choisi pour son sens. Je connais mon sujet. Laissez un souci envahir votre esprit, et les fantômes autour de vous sont perdus — déroutés. Effrayés même. Croyez-vous aux fantômes, Debbie?

— Non.

— Vous admettrez que ceux qui sont plus sensibles que vous, et croient, même vaguement, aux fantômes, le plus souvent en ont peur.

— Oui.

— Eh bien, essayez d'inverser cette vision des choses. Au lieu de toujours voir *noir sur blanc*, essayez de voir *blanc sur noir*. Nous, êtres humains, dans la majorité des cas nous pouvons vivre sans nous occuper des fantômes, vous êtes d'accord?

— Oui.

— Eh bien, eux, n'ont jamais la possibilité de vivre

87

sans s'occuper de nous. Ils ne peuvent pas dire «oh, les vivants (ou "oh, les humains"), je n'y crois pas», ou «ça ne m'intéresse pas». Ils sont obligés de tenir compte de nous, ils sont condamnés à évoluer dans un monde qui est le nôtre. L'atmosphère, sa pollution, c'est l'obsession d'Ewan bien sûr mais il a raison. Ils sont condamnés à s'asphyxier, lentement. Souffrir… Si vous saviez comme ils peuvent souffrir…

— Henrietta, je vous en prie, calmez-vous.

— Je suis calme. Si seulement vous pouviez m'écouter. M'écouter vraiment.

— J'ai tout entendu. J'étais juste derrière elle, en face de vous, je n'osais pas vous interrompre.

— Je ne vous ai pas vu, Reginald.

— Vous ne la quittiez pas des yeux. Pauvre Henrietta. À vrai dire, je suis un peu choqué. Avec les millions d'êtres humains qui survivent dans des conditions révoltantes, je ne sais pas s'il est de très bon goût de pleurer sur le sort des fantômes.

— C'est peut-être sa manière à elle de se soucier des malheureux. Peut-être, chaque fois qu'elle prononce le mot «fantôme», faut-il entendre le mot «malheureux». Malheureux dans le sens «les malheureux de la terre», ceux auxquels vous faites allusion.

— Je ne crois pas. Je déteste lorsque G.M. s'absente. Quand il n'est pas là, Henrietta est perdue, il lui sert de garde-fou. Et Timothy qui n'est pas là non plus. Je ne sais pas ce qui se passe, Debbie, mais je commence à être inquiet. L'automne dernier, ils étaient *tous* là – je suis arrivé à Grays il y a un peu plus d'un an, en septembre. John, Wesley, Ewan, G.M., Tessa, Susan, Timothy. Et cette année... Ne restent qu'Ewan et Henrietta. Et moi. Et vous, Debbie, mais vous... vous êtes une nouvelle venue. Et j'ai beau réfléchir, je ne vois toujours pas pourquoi vous êtes là. Quelle place vous avez, quel rôle vous devez jouer.

– Mais enfin, pourquoi devrais-je avoir un rôle à jouer! Je suis Debbie Williams, née Anderson, *l'Américaine* si vous voulez, comme on m'appelle ici, venue travailler chez Watercare, le...

– L'Américaine? Personne ne vous appelle comme cela.

– Justement, je voudrais bien savoir comment *ils* m'appellent.

– Je peux vous le dire. Ce n'est pas méchant. Il faut juste connaître le contexte. Vous avez lu Oscar Wilde? *Le Fantôme de Canterville*? Vous vous souvenez de cette famille d'... Oh, zut, les revoilà. Excusez-moi, Debbie, mais je dois vous laisser.

Les deux « inspecteurs », déjà installés à leur place habituelle, levèrent les yeux en même temps, et esquissèrent un sourire. C'est-à-dire que chacun adressa un sourire à l'autre, à son double, son partenaire. Quant à Reginald, il avait disparu.

89

— Debbie, que faites-vous là! Oh, pardon, je suis indiscret. Vous êtes parfaitement libre de vous promener entre les rangées de livres de la bibliothèque. Mais… Je n'ai pas l'habitude de vous voir ailleurs qu'au Theobald — sauf l'autre soir lorsque je vous ai retrouvée dans ce café inconnu… Si nous sortions d'ici ? Notre bavardage doit être exaspérant pour ceux qui essaient de travailler. Dans une bibliothèque, le moindre murmure produit un effet démesuré.

— Mais, Ewan, il n'y a personne.

— Qu'importe. On ne parle pas dans un lieu censé être silencieux.

En silence donc, Ewan et Debbie se dirigèrent vers la porte et sortirent du bâtiment.

— Il ne pleut pas, il n'y a pas de vent, et il ne fait plus froid. Vous avez remarqué comme le temps s'est adouci ? Si nous marchions un peu ? Vous n'allez pas travailler aujourd'hui je suppose. Sinon vous ne seriez pas là, à la recherche de quelque ouvrage poussiéreux. Oh, excusez-moi.

Ewan, livide, agrippa la rampe. Son front luisait d'une sueur très fine, qui restait figée, ne glissait pas sur sa peau.

— Je vais avertir…

Debbie se précipita à l'intérieur. Plusieurs personnes accouraient déjà. Une ambulance fut appelée. Les yeux d'Ewan étaient fermés, mais il murmurait des mots que Debbie ne put comprendre. « Laissez-moi » ? « Ne me laissez pas » ? Tout le monde connaissait Ewan, et ce fut une autre qu'elle qui monta dans l'ambulance. Debbie s'éloigna, prit le chemin du cottage Seddon.

Au moment d'entrer chez elle, Debbie eut un instant d'appréhension. Était-ce le malaise d'Ewan, le long discours, la longue dérive d'Henrietta, ou l'accès de paranoïa de Reginald ? Elle se sentait épuisée et vulnérable. L'idée d'entrer dans ce cottage hanté ne lui souriait pas. « Je suis ton amie. » Ces mots venaient de se prononcer tout seuls. Ce n'était pas une voix, juste un… le mot n'existait pas. C'était quelque chose de très doux, absolument pas menaçant. Debbie ouvrit la porte. Et, calmement, lentement, elle visita le cottage, répétant, geste par geste, la visite du premier jour, avec G.M. Et cette fois, c'était Mary Seddon qui présidait cette visite, lui présentait les lieux.

Je suis folle !

Et pourtant, Debbie continuait à ouvrir et à refermer les placards, les fenêtres, à explorer les quatre petites pièces. Cela faisait plusieurs semaines qu'elle habitait là, mais c'était comme si elle découvrait l'endroit. Chaque meuble, chaque objet semblait vu pour la première fois. Et l'atmosphère de chaque pièce se révélait. C'était aussi évident que lorsqu'on chauffe ou lorsqu'on éclaire une salle : quelque chose est diffusé, qui dispense chaleur ou lumière. Cette « visite » du cottage produisait le même effet : une présence venait d'être diffusée dans chacune des pièces, dispensant elle aussi chaleur et lumière.

Je suis folle.

Rien n'aurait pu être plus bienveillant, agréable, que cette présence. C'était une sensation que l'on peut connaître lorsqu'on arrive dans une réunion familiale ou amicale où l'on est *attendu*. Vraiment attendu. Debbie ne prit même pas la peine d'éteindre derrière elle, elle s'enfuit et sans réfléchir se dirigea vers le Theobald.

Les premières personnes qu'elle vit furent les deux « inspecteurs ». Au fond de la salle, deux vieilles dames, déjà là tout à l'heure, n'avaient pas bougé non plus. C'était comme si la scène reprenait à l'instant où elle avait quitté l'établissement, comme si elle s'était échappée pour vivre une parenthèse temporelle, et reprenait sa place comme si rien ne s'était passé : la rencontre avec Ewan à la bibliothèque, son malaise, et cette « visite » du cottage. Debbie jeta un coup d'œil à sa montre pour regarder le nombre d'heures qui s'étaient écoulées depuis le moment où Reginald lui avait dit « Excusez-moi, Debbie, mais je dois vous laisser ».

Parenthèse temporelle ! Leur folie est contagieuse. Je vais devenir comme eux. Il faut que je rencontre ici même

quelqu'un de *normal.* Quelqu'un qui vit dans le monde
réel, qui ne me fasse pas subir ces influences…

À cet instant l'un des deux «inspecteurs» la regarda.
Sans sourire, sans broncher. Debbie fut comme paralysée. Ces deux individus lui donnaient froid dans le dos.
Eux aussi semblaient échappés d'un autre monde. Deux
hommes en mission, venus chercher un être humain pour
l'emmener Dieu sait où. Était-ce leur costume sombre,
leur silhouette d'automate, ressemblant aux musiciens
du groupe Kraftwerk qui dans les années quatre-vingt
récitaient d'une voix d'outre-tombe *« Radioactivity — Is
in the air — For you and me».* Je suis de plus en plus folle.
Debbie attendait avec impatience l'arrivée de Reginald.
Elle lui dirait qu'elle le comprenait, que ces deux individus représentaient une menace. Et elle commanderait
une Strong Suffolk, la boisson préférée de G.M., pour
se remettre de toutes ces émotions.

Ce fut Henrietta qui un peu plus tard prit la situation
en main. Les deux «inspecteurs» montraient des signes
d'impatience. De toute évidence ils voulaient soit payer
et partir, soit boire un nouveau verre. L'un d'eux, toutes
les cinq minutes, demandait — sans hausser la voix:
«Reginald?» — du ton qu'on prend généralement pour
appeler un chat. C'est-à-dire sans impatience et sans
illusion. Les deux vieilles dames avaient fini par partir.
De nouveaux clients étaient arrivés, et tout le monde
attendait Reginald.

À 7 heures, Henrietta était entrée. Sans un regard pour les deux hommes en costume sombre, elle s'était assise en face de Debbie.

— Que se passe-t-il ? L'atmosphère est saturée.

— Il semble que Reginald se fasse attendre.

— Reginald. Je vois. Je comprends.

Henrietta, l'air digne, passa derrière le comptoir. En quelques minutes, les boissons furent servies ou encaissées. Comme si Henrietta avait fait cela toute sa vie. Ensuite elle vint retrouver Debbie, sans oublier de prendre un verre pour elle et une bouteille au contenu indécidable pour toutes les deux.

— Et voilà, ça devait arriver. Reginald s'est sauvé. Depuis l'arrivée de *ces deux-là*, je m'y attendais. Mais ce n'est qu'un prétexte. Reginald ne peut demeurer long-temps au même endroit. Il est resté plus d'un an à Grays, c'est déjà beaucoup. Reginald est un fugitif dans l'âme. Un fugitif qui n'a rien à fuir.

— Timothy va être obligé de revenir ?

— Il en faudrait plus pour faire revenir Timothy. Non, le Theobald va fermer, c'est tout. Du moins pendant un certain temps.

— Alors où irons-nous ?

— Au White Hart, ou au Pullman. Même en plein novembre, et en restant dans cette partie de la ville, nous avons le choix. Ne vous inquiétez pas, Debbie. Mais… et là, c'est moi qui m'inquiète, vous vous sentez si mal

chez vous pour paniquer ainsi à l'idée d'un pub qui
ferme ? «Alors où irons-nous ? » Votre voix était chargée
de panique, de détresse presque. Mon petit, si quelque
chose ne va pas, dites-le-nous.

— Non, non, rassurez-vous. C'est juste que j'aime cet
endroit, je m'y sens bien, j'aime beaucoup Timothy – je
veux dire Reginald.

— *Timothy.* Debbie, vous êtes déjà venue ici ? Du temps
de Timothy ? C'est pour cela que vous nous faites tellement penser à quelqu'un ? Au début, nous avons cru que
c'était à Tessa. Ensuite, nous avons cherché, pendant des
heures nous nous sommes interrogés : «À qui nous fait-elle
donc penser ? » – mais en fait, c'était à vous-même ? Vous
êtes déjà venue, vous avez déjà séjourné ici, c'est cela ?

— Non, je vous assure. Je n'ai pas mis les pieds sur le
sol anglais depuis plus de trente ans.

— Mais vous étiez *ici* ? Nous vous avons connue ado-
lescente ? Enfant ?

— Pas du tout. Je n'étais jamais venue à Grays.

Henrietta n'ajouta rien. Elle regardait fixement Debbie,
comme pour chercher à deviner s'il fallait la croire ou non.

— Admettons. Je suis perplexe mais pour l'instant
nous n'avons pas le temps de nous étendre sur le sujet.
Je suis repassée au Theobald ce soir car je voulais vous
annoncer la nouvelle, à Reginald et à vous : Ewan est à
l'hôpital. Il a eu un malaise.

— Je sais, j'étais avec lui.

Henrietta n'écoutait pas. Elle continua.

— Il est très faible. Les résultats des analyses ne sont pas encore connus, mais il semble qu'il souffre d'une forme rare d'anémie. Il demande déjà de la visite mais on les lui interdit. Repos complet. Pauvre Ewan. Bon, je crois qu'il n'y a plus personne. Sauf ces deux individus. Je vais aller leur dire qu'on ferme. Je vous aurais volontiers invitée à dîner, Debbie, mais nous sommes jeudi. À demain, Debbie ? Au White Hart ? Non, au Pullman. Bonne soirée, Debbie. Tenez, j'ai acheté ce livre chez W.H. Smith tout à l'heure. Cela vous fera un peu de compagnie.

Debbie prit le livre, se leva, sortit. Les premières décorations de Noël venaient d'être installées, et c'est sous une débauche d'illuminations qu'elle remonta Argent Street pour gagner le cottage Seddon.

La nuit fut paisible. Pour s'endormir, Debbie avait commencé le livre prêté par Henrietta. Ni voix intérieure ni présence dans le cottage. Le lendemain, elle décida de se rendre à la gare en prenant l'escalier qui menait directement au quai, sans passer devant les endroits où elle risquait de rencontrer quelqu'un (en l'occurrence Henrietta). Elle prit son café au cottage, parcourant ses notes pour la réunion du vendredi matin. Une fois prête, elle ferma la porte, se dirigea vers la gare. D'étranges fanions blancs étaient accrochés, tous les vingt mètres, sur les troncs des arbres décorés. En s'approchant, Debbie s'aperçut que, sur chacun d'entre eux, était inscrit « Ghost Walk ». Arrivée à l'angle de Crown Road, Debbie vit que la piste continuait sur la gauche. Elle oublia son train, sa réunion, et suivit la route balisée. Elle se retrouva devant l'agence immobilière. Dont les deux portes étaient grandes ouvertes – en plein mois de novembre... Et derrière l'imposant bureau de G.M., attendait Henrietta, vêtue de blanc de la tête aux pieds – pull blanc, pantalon blanc, bottes blanches. Debbie fit rapidement demi-tour, espérant qu'Henrietta ne l'avait pas aperçue. Elle réussit à attraper son train.

Les stations d'épuration des eaux usées n'ont pas été conçues pour bloquer les molécules utilisées en pharmacie et qui constituent une part de plus en plus importante de... Ewan va-t-il mieux aujourd'hui ? *Les produits de leur dégradation sont parfois plus toxiques que la molécule initiale.* Où donc est passé G.M. ? *Ce nouveau type de contamination est l'un des enjeux de...* Pourquoi Reginald est-il devenu un fugitif – qui n'a rien à fuir, selon l'expression d'Henrietta. Et ce fameux Wesley, pour qui Henrietta collectait des fonds, on ne parle plus de son retour. Et Tessa ? Qui va pouvoir me donner son adresse ? Que s'est-il passé au cottage hier ? Est-ce que je vais retourner *là-bas,* comme me l'a prédit Henrietta ? Henrietta, G.M., Ewan. C'est curieux comme ces trois-là ont un air de famille. À force

97

de vivre, sinon ensemble, proches les uns des autres ? Debbie ne savait même pas où ils vivaient, dans quelle rue, quelle partie de la ville. Et si elle essayait d'imaginer l'un d'eux «chez lui», ou «chez elle» pour Henrietta, elle n'y arrivait pas. *Le 2 novembre, la commission Reach a pris la décision…* Le 2 novembre les âmes des défunts reviennent dans leur foyer – pour une petite visite amicale ? L'esprit de Debbie n'avait jamais autant dérivé. Ils vont se débarrasser de moi, me dire que mon travail laisse à désirer. Je n'arrive plus à me concentrer. Bientôt je ne serai plus bonne à rien.

À 5 heures et demie, Debbie était de retour à Grays. De la gare, les fanions blancs invitaient les voyageurs à les suivre. Debbie se promena un long moment avant de rentrer au cottage. Dans la partie ouest, à partir de Derby Road, Henrietta avait balisé toutes les rues, tous les passages et toutes les flèches menaient à l'agence. Tous les habitants de Grays, tous les voyageurs égarés là ? auraient dû se retrouver à ce point de ralliement. Debbie finit par retourner chez elle. Elle ouvrit la porte. L'intérieur était accueillant, chauffé, habité. Il n'y avait aucun doute à ce sujet. Habité par un autre qu'elle. Les quinze années où elle avait vécu avec John, elle ne s'était pas trompée une seule fois. Même sans aucun bruit, aucune lumière visible de l'entrée, elle savait si, oui ou non, John était là. Pas une seule fois elle n'avait énoncé

NOS AMIS DES CONFINS

un «John» qui avait résonné dans le vide. Pas une seule fois elle n'avait cru l'appartement désert, pour découvrir que John était en fait à la maison. Non... Lorsqu'elle entrait, elle savait. John présent, John absent. Le lieu occupé, le lieu inoccupé.

Et ce soir, elle entrait dans une maison habitée. Et qui plus est, accueillante. Debbie avança, et demanda d'une voix faussement assurée :

– Henrietta ?

C'était l'explication la plus simple. Henrietta certainement avait la clé. Henrietta se révélait la maîtresse de Grays, régnant sur toute la ville, ses cafés, ses rues et ses maisons. Debbie fit le tour des quatre pièces. Henrietta s'amusait peut-être à entrer pendant son absence, pour le simple plaisir... de s'amuser. De jouer un tour. En tout cas, elle n'avait rien déplacé. Debbie refit le tour du cottage, à la recherche d'une odeur cette fois-ci, le parfum légèrement épicé d'Henrietta. Pas la moindre trace évidemment. Debbie répéta :

– Henrietta.

À présent, le silence était presque hostile. Comme s'il se concentrait en une force prête à lui répondre, contrariée.

Je suis folle.

– Mary ? Mary ?

La force contrariée disparut. La pièce redevint accueillante, comme lorsque Debbie était entrée.

Je suis folle.

Debbie se dirigea vers la cuisine. Alluma la radio. «... sauf dans le nord-ouest du pays, une éclaircie...» Ouvrit les placards. Dans l'un d'eux, elle trouva un carnet, à peine jauni, coincé entre deux casseroles. *Inhabité pendant trente ans?* Elle referma le placard, sortit de la cuisine, chercha son manteau qu'elle avait posé sur le premier fauteuil venu. Elle irait manger dehors, n'importe où. Elle retourna dans la cuisine, elle avait oublié d'éteindre la radio. La voix de la météo parlait encore, lorsque Debbie entendit – crut entendre: «Reste avec moi.»

Traîner un soir de novembre dans les rues de Grays à la recherche d'Henrietta. Debbie en était arrivée là. Une folle, cherchant plus folle qu'elle encore. Elle commença par vérifier si le Theobald n'était pas, contre toute attente, ouvert. Reginald ne s'était peut-être pas enfui, comme l'avait si vite conclu Henrietta. Mais sur la porte, l'écriteau «Fermeture exceptionnelle» était bien là. Debbie essaya le White Hart. Pas d'Henrietta. Elle la trouva au Pullman. Henrietta était assise, seule, au fond, très droite comme toujours. Elle n'était plus habillée tout en blanc, mais tout en noir. Devant elle, un long verre rempli d'une boisson couleur émeraude.

– Debbie... Vous voulez des nouvelles d'Ewan

j'imagine. Vous êtes essoufflée, toute pâle. Je vais vous commander la même chose que pour moi, c'est un bon remontant. Ewan ne va pas bien. Il dort sans interruption et il n'a droit à aucune visite. À l'hôpital je n'ai pas pu le voir. Il y a quelque chose qui les intrigue dans sa formule sanguine. Qui les intrigue et les inquiète. Debbie, vous êtes décidément bien pâle. Quelque chose ne va pas, mon petit?

– Je suis un peu fatiguée. Cela paraît idiot, mais je crois que je ne suis toujours pas remise du décalage horaire. Au bout de plusieurs semaines!

– Il faut vous reposer. Dormir, dormir, dormir. Vous avez peut-être le mal du pays. Ou bien, c'est votre nouvelle vie – ce n'est pas facile, tout recommencer comme cela, toute seule. Nous nous soucions beaucoup de vous, Debbie, mais cela ne vous est peut-être d'aucune aide. Pour vous, nous sommes de nouvelles connaissances, et pas encore de vieux amis. Mais, de notre côté, nous vous considérons comme telle: vous êtes une vieille amie. Peut-être parce que vous avez si facilement pris l'habitude de nous retrouver le matin et le soir au Theobald. Oui, vraiment, vous avez tout de suite pris votre place. Je dis bien: *votre*. Comme un siège que l'on réserve, si quelqu'un veut s'y installer, on lui dit poliment « Non, ce n'est pas possible, la place est prise, nous attendons quelqu'un ». Oui, Debbie, je peux vous le dire, de la part de nous tous, vous étiez attendue, nous vous attendions. Nous avions gardé votre place. Évidemment, pour l'instant… les choses semblent un peu bizarres. Un par un, ils s'en vont tous. Mais ils vont revenir, ne craignez rien, ils vont revenir. Debbie, dites-moi ce qui vous tracasse comme cela.

— J'ai peur la nuit dans le cottage.

— Oh, Debbie! non, non et non. Vous êtes fatiguée, vous vous sentez seule… mais je vous assure, il n'y a pas de quoi avoir peur. Vous pouvez me croire. Le cottage est l'une des maisons les plus tranquilles de Grays. Tranquille du point de vue qui nous intéresse, bien sûr. Vous n'avez rien à craindre. Mais je parle, je parle… Dites-moi ce qui vous effraie.

— Rien de particulier. C'est juste… l'impression d'une présence.

— Debbie, je suis sérieuse: je vous le répète, il n'y a aucun sujet de crainte en ce qui concerne le cottage. C'est simplement parce que vous y vivez seule. L'écho… l'écho de sa propre voix. Je suis sûre que de temps en temps vous parlez tout haut? L'écho de ses pensées. Oui, c'est cela. L'écho de ses pensées suffit à provoquer un certain trouble, lorsqu'on vit seul sans y être habitué. Un conseil très simple, Debbie. Mettez de la musique, ou la radio. C'est un fait bien connu: tous les gens qui vivent seuls ont en permanence un fond sonore. Et ce n'est pas tant pour leur tenir compagnie que pour masquer cet écho. Il y a aussi la solution du chien ou du chat. Solution que, personnellement, je déconseille. Pour en revenir à vous, Debbie : un peu de musique. Cela suffira, dans votre cas. Il y a tout ce qu'il faut dans le cottage. Et si l'appréhension vous gagne malgré tout, pensez à moi, pensez à mon solide bon sens. Buvez un verre à ma santé. C'est cela, trinquez avec moi, en pensée, et vous verrez, cela ira tout de suite mieux. Il y a, dans cette ville, certaines maisons où il vaut mieux ne pas vivre seul, mais croyez-moi, votre cottage n'en fait pas partie. Et avant de vous endormir, buvez un grog. À ma manière. Je vais vous donner une recette, celle du *sloe gin*. Non, pas une recette : une bouteille. Il se trouve que je viens d'en acheter une. Versez-en cinq centimètres dans un verre, pour un centimètre d'eau citronnée brûlante. Et lorsque la bouteille sera vide, vous en trouverez tout simplement au Morrisons. Nous sommes en novembre, il faut de la chaleur, du réconfort. Vous pensez que ça ira, Debbie ?

— Oui. Musique, un verre à votre santé. Merci pour ce *sloe gin*.

— Vous êtes sûre que ça ira ?

— Ne vous inquiétez pas, Henrietta. Cela va déjà mieux. Le simple fait d'en avoir parlé…

— Et à une spécialiste, en plus ! N'oubliez pas, Debbie, nous sommes vos amis. Demain, vous me direz si le problème est résolu. Et si ce n'est pas le cas, nous trouverons une solution. À demain, Debbie. Musique, chaleur et *sloe gin.* Tout ira bien, mon petit.

Musique, chaleur et *sloe gin.* Cinq centimètres d'alcool, un centimètre d'eau. Supprimer l'écho des pensées. Ne pas parler tout haut. Ou bien le contraire ? Parler à voix haute, le plus naturellement possible, jusqu'au moment où le son de sa propre voix soit devenu familier ? Il faudra poser la question à Henrietta : conseille-t-elle de parler tout seul, ou de s'en abstenir ?

Henrietta, conseillère en vie quotidienne pour les solitaires. Henrietta, spécialiste des fantômes, vous conseille afin de ne pas peupler votre maison de fantômes. Ou bien… afin de ne pas réveiller ceux qui habitent là ?

Mais comme dit Reginald, le nombre de malheureux sur terre est déjà bien assez élevé, inutile de rajouter les fantômes.

Tout à l'heure, pendant la pause de midi, Debbie était passée au marché aux livres du pont de Waterloo. Elle avait failli ne pas voir les trois mots « Mary Seddon Letters ». Pour quatre-vingt-dix pence, elle avait pu acheter ce volume à la couverture cartonnée gris acier. Six cent trente-sept pages. Une longue introduction. Elle sortit le livre de son sac, l'enferma dans un tiroir. L'un des conseils qu'Henrietta aurait pu lui donner était : une fois la nuit tombée, ne pas s'occuper de Mary Seddon.

Se plonger dans le travail : elle avait un rapport de dix pages à rédiger. Au programme de ce soir, taux de PCB et tableaux de contaminants. Et demain, une fois le jour, la lumière revenus – les lettres de Mary Seddon.

C'était la première allusion au frère de Mary Seddon, Larry. Presque toutes les lettres publiées dans l'ouvrage gris-bleu s'adressaient à lui. Mary à longueur de lettre semblait se plaindre. De son mari, John (encore un John, cher G.M.). De sa fille, Selma. Du voisinage. Du climat. Il y avait toujours quelque chose qui n'allait pas.

Debbie s'était résignée à passer une soirée – voire une nuit – à guetter le moindre mouvement, le moindre souffle, plongée dans un univers qu'elle avait imaginé oppressant, inquiétant – elle s'était attendue à vivre quelques heures en compagnie d'ombres (elle refusait le mot fantôme), l'ombre de Mary Seddon qui à travers ces lettres lui communiquerait un message troublant (bien entendu elle n'avait pas eu la patience d'attendre le lendemain, le jour, la lumière, pour lire ces lettres).

Au lieu de trouble et d'ombre, Debbie n'avait cessé de sourire, voire rire, toute seule dans la cuisine. Au lieu de passer la soirée en compagnie de mânes, elle la passait avec un défilé de *voisins,* décrits uniquement en fonction des différents bruits qu'ils faisaient subir à Mary Seddon. Tondeuse à gazon, cris d'enfant, perceuse, radio, ces lettres étaient une litanie de plaintes, de listes de nuisances sonores, de descriptions d'emplois du temps rythmé, coupé, gâché par les activités de son voisinage.

C'était une lecture désopilante. Bien sûr, on pouvait percevoir le désespoir en filigrane de ces lamentations humoristiques : « J'ai commencé le poème *Winter Shade* (par ex.) mais j'ai dû m'interrompre, les aboiements du chien des Coppola étaient trop stridents et personne n'était là pour le faire taire. »

« J'ai eu l'idée de la suite de sonnets pour parodier Matthew Arnold, mais les enfants Jones sont sortis jouer au ballon dans la cour, j'espère m'y remettre demain. Ah, Larry, si tu avais été là ! »

Larry ne répondait pas. Ou plutôt, cette édition ne donnait à entendre que la voix de Mary. Les lettres de Larry n'avaient pas été retrouvées, lisait-on dans l'introduction, sans plus de précisions. Mary avait-elle l'habitude de jeter les lettres reçues ? Ou bien les avait-elle perdues dans un déménagement ? Debbie leva les yeux du livre et parcourut du regard la pièce, comme si les lettres de Larry à sa sœur pouvaient avoir été oubliées dans un des placards de la cuisine, de même que le carnet jauni trouvé derrière les casseroles.

À 3 heures du matin, Debbie lut la dernière lettre : « Quel dommage, Larry, que tu vives si loin. Je te laisse, on frappe, je dois aller répondre. Je t'embrasse. »

Derniers mots, dernière page du livre bleu-gris.

Debbie le referma. Se leva. Henrietta lui dirait : « Il est l'heure, buvez un verre à ma santé. »

Le White Hart n'est pas aussi chaleureux que le Theobald. Debbie en fit la remarque à Henrietta.

— Ce qui manque, c'est la présence de Timothy, répondit aussitôt Henrietta.

— Mais je ne l'ai jamais vu. Je ne connais que Reginald.

— Que Timothy soit là ou pas, le Theobald est habité par sa présence. Oh, Debbie, écoutez-moi... Ne dirait-on pas une vieille obsédée ! « Habité par sa présence » ! Et puis quoi encore. Depuis qu'ils sont tous partis – nous nous retrouvons seules toutes les deux, je ne sais pas si vous l'avez remarqué – je pense beaucoup à nos défauts, à nos manies. Ceux de John, de Wesley, d'Ewan, de G.M. Et les miens. J'ai tellement l'habitude de me voir à travers leurs yeux – et comme nous rivalisons tous d'excentricité, tout va bien. Mais lorsqu'ils ne sont pas là, je me vois à travers les yeux... de tout un chacun, et alors là, je suis épouvantée. Cette vieille folle qui ne parle que de fantômes, c'est moi ? Désormais je vais faire attention. Je vais surveiller mes paroles, mon comportement. Ainsi, ces petits fanions blancs pour baliser les rues. Sur le moment, ça m'avait semblé une excellente idée. Et lorsque j'ai une idée, moi, je la mets aussitôt en pratique. Je n'attends pas, je ne tergiverse pas.

Ces fanions blancs… Je pensais que ça ferait un peu de publicité à mon Ghost Walk. Car j'en ai bien besoin. L'année dernière, à cette même période – c'est-à-dire, la meilleure, avec décembre, du point de vue des fantômes – j'avais quatre ou cinq personnes tous les jours. Cette année, une ou deux – enfin, plutôt une – le 1er, le 2 et le 3 novembre, et depuis, personne ! Les affaires n'ont jamais aussi mal marché. Je sais bien que la situation est générale, je ne suis pas à plaindre, mais quand même… Ce désintérêt pour les présences invisibles, ce n'est pas bon signe. Je vais devenir aussi pessimiste qu'Ewan. En parlant d'Ewan, vous ai-je dit qu'il ne va pas mieux ? Il est dans son lit d'hôpital, on s'affaire autour de lui, en fait il suscite un certain intérêt car l'anomalie découverte dans sa formule sanguine est tout à fait surprenante. On me dit qu'il ne souffre pas, mais comment le savoir ? Mon pauvre Ewan. J'ai peur qu'il se laisse partir. Mon pauvre Ewan. Et les autres qui sont au loin. Heureusement que vous êtes là, Debbie. L'idée de vous retrouver le soir ici, après votre travail, m'apporte un grand réconfort. Et puis-je me permettre de vous dire que vous semblez en grande forme. Partis, les cernes. Et cet air perpétuellement épuisé, parti lui aussi. Cela me fait plaisir, Debbie. J'ose croire que c'est grâce à mes conseils. Musique, chaleur, *sloe gin* à volonté. Cela me fait *tellement* plaisir. J'ai hâte qu'Ewan sorte de l'hôpital et que les autres reviennent. Non pas un par un comme ils sont partis, mais tous ensemble. Ce serait merveilleux. Tous! G.M. et John, Wesley, Ewan, Susan, Timothy... Peut-être que si j'organisais une petite fête, ça les ferait revenir. Ça, c'est une idée. Je vais y penser très sérieusement. Non, pas une petite – une *grande* fête. Je vais inventer une occasion solennelle, ils ne pourront pas dire non. Mais en attendant, nous sommes là, toutes les deux, dans ce pub qui n'est pas si mal finalement, vous ne trouvez pas? Et puis, les clients nous sont déjà familiers. Ne vous retournez pas, Debbie. Je ne les avais pas remarqués, et je ne les ai pas vus – ni entendus – arriver. Je n'ai même pas senti ce courant d'air glacé chaque fois que la porte s'ouvre, mais toujours est-il qu'*ils* sont là, à gauche de la cheminée, nos deux amis, ces deux «inspecteurs» qui font semblant de ne pas me reconnaître.

Debbie le soir se dépêchait, elle était de retour à Grays un peu avant 6 heures. Elle sortait de la gare, descendait Sherfield Road, entrait au White Hart, où Henrietta l'attendait. Les deux femmes – l'une pourrait être la mère, l'autre la fille? – discutaient une heure, en buvant un ou deux verres (en fait, café pour Debbie). Contrairement au Theobald où le temps est censé ne pas exister, au White Hart les murs sont surchargés de pendules et à 7 heures précises, Henrietta prononçait les mots : « Je dois y aller, je ne veux pas être en retard. Tout ira bien pour vous ce soir, Debbie ? » Et sans lui laisser le temps de répondre, elle se précipitait dehors. Debbie restait quelques minutes, et tranquillement prenait le chemin de chez Mary Seddon. Car, depuis la lecture des « Lettres à Larry », c'est ainsi que Debbie envisageait son séjour au cottage.

Il n'était plus question de peurs, de réveils en sursaut, d'échos inquiétants. Cette lecture avait tranquillisé Debbie. C'était comme si Mary était *une amie*. L'atmosphère du cottage était devenue accueillante, détendue. L'ironie de la situation était qu'elle aurait aimé discuter de cette « amitié » avec Henrietta, la spécialiste des présences invisibles. Seulement, depuis que tous ses complices avaient quitté Grays, Henrietta essayait de se discipliner, de ne plus parler de fantômes. Debbie devinait à quel point elle était perdue sans ses compagnons habituels. Et Debbie ne voulait pas l'entraîner là où elle semblait ne plus vouloir aller. Les fanions blancs avaient disparu, et la ligne « Ghost Walk » avait même été barrée au feutre noir sur les brochures éditées par l'office de tourisme et disponibles près des caisses dans les magasins. Henrietta avait dû aller ainsi, de lieu en lieu, avec son feutre noir, pour supprimer cette activité.

— C'est temporaire bien sûr ! C'est temporaire ! Dès que tout redeviendra normal, je reprendrai mon Ghost

Walk. Le signe que j'attends, c'est le rétablissement d'Ewan. Sa sortie d'hôpital, son retour parmi nous. Il y a des moments, Debbie, où la question me tourmente : Me suis-je trop occupée de mes fantômes, et pas assez de mes frères, de mes proches ? Ai-je mal réparti la somme de mes attentions ? Ai-je trop donné aux uns, pas assez aux autres ? Je suppose que le moment vient toujours de se poser cette question.

Debbie s'était attendue à ce qu'Henrietta lui parle « des autres », en leur absence, évoque G.M., John, l'énigmatique Wesley qui ne semblait pas pressé de venir chercher son cadeau de réparation. Parfois, elle posait une question, sur Susan, Timothy, ou Tessa, pour le simple plaisir de voir Henrietta s'exclamer « Ne parlons pas de Tessa ! Oublions jusqu'à l'existence de Tessa ! ». Debbie regrettait les absents, et les efforts d'Henrietta pour paraître « normale » lui faisaient presque pitié.

— Quel dommage, Debbie, que la nuit soit tombée lorsque vous revenez de votre travail. Vous ne pouvez pas aller vous promener, explorer le comté de Thurrock. Et quel dommage que le week-end je sois occupée ! J'espère que vous ne vous ennuyez pas, Debbie.

Mais Henrietta ne lui posait plus jamais la question : « Et au cottage, tout va bien ? » Elle ne voulait plus ouvrir la moindre brèche qui permette aux sujets interdits de se glisser dans leur conversation.

À trop vite prendre des habitudes… Ce soir, Debbie était arrivée légèrement en retard. Le train s'était arrêté en gare de Rainham, n'était pas reparti. Les minutes s'écoulaient. Les passagers téléphonaient, énervés, ennuyés. Debbie fixait le noir de la vitre, les reflets des visages, des silhouettes. Les voix se superposaient, «je vais être en retard» «nous sommes arrêtés» «ne m'attends pas». Pouvait-elle parler de retard, elle, puisque aucune heure n'était fixée avec Henrietta, aucun rendez-vous n'était pris? Seulement l'habitude. Il était 6 h 30 lorsque Debbie ouvrit la porte du White Hart. Une demi-heure plus tard que les autres soirs. Henrietta n'était pas là.

Debbie trouva une place libre, près de la plus grande horloge. La salle était pleine, mais elle ne reconnut personne. Elle aurait pu croire qu'elle était dans une autre ville, et non pas à Grays. Elle se dirigea vers le comptoir, demanda au serveur s'il avait vu «la grande dame brune». Il ne répondit pas tout de suite. Puis: «Je ne sais pas, c'est mon premier jour ici.» Si les deux inspecteurs avaient été là, elle leur aurait posé la question. Mais, même eux, elle ne les voyait pas.

Bon, ce n'est rien. Henrietta avait dû se lasser d'attendre. Ou bien, elle avait un de ses mystérieux rendez-vous. Combien de fois n'avait-elle pas dit «Je dois y aller». Debbie se leva pour prendre le *Thurrock Recorder* sur une table voisine, se plongea dans les nouvelles internationales, nationales, régionales, locales. *Une plainte collective vient d'être déposée contre la société Thurrock Bâtiment, qui aurait utilisé du fibrociment...* Henrietta repasserait peut-être. À 7 h 30, Debbie décida de rentrer. Après tout, Henrietta savait où la trouver, si elle avait envie de la voir. Alors qu'elle, Debbie, n'avait aucune idée de l'endroit où vivait Henrietta. De la manière dont elle occupait ses heures, lorsqu'elle ne se matérialisait pas au White Hart et, avant cela, au Theobald.

Tous, un à un, ils sont partis. Et maintenant, Henrietta ? Est-ce une sorte de maléfice ? J'arrive ici, ils m'entourent, et puis, un à un ils partent, me laissent seule. Seule avec Mary Seddon ?

8 h 30. Au cottage Seddon, la soirée commençait. Se détendre une heure avec Henrietta au White Hart aurait fait du bien à Debbie, car elle devait terminer la rédaction de son rapport. À partir du lendemain, les différents chargés de mission présenteraient les premières conclusions de leur étude.

Plus que jamais il lui fut difficile de se concentrer. Et si Henrietta était malade ? Seule, chez elle ? Mais chez elle, c'est où ?

Debbie se leva. Elle fit les cent pas dans la pièce. Henrietta a peut-être pris le train comme la dernière fois. Mais ce jour-là, tout le monde était encore à Grays, s'était inquiété, l'avait cherchée. Aujourd'hui, il n'y a plus que moi. Ce jour-là, c'était l'anniversaire de Reginald. Elle s'approcha de la fenêtre. Elle voyait le reflet des meubles et des objets de la pièce – comme tout à l'heure les passagers et les sièges dans le train. Vitre noire… non, vitre transparente. D'un côté le noir. L'obscurité, les ténèbres. Si elle éteignait la lumière, le noir serait également derrière elle, et dans l'obscurité de dehors, des formes et des lueurs apparaîtraient peu à peu. Des lueurs : le noir qui perd de sa noirceur semble se mettre à luire. Debbie tendit la main pour éteindre – l'interrupteur était tout près. Derrière elle, la pièce soudain obscure et devant elle, la nuit de novembre, la masse sombre du terrain longeant la maison. Un camaïeu de sombres, très sombres, encore plus sombres. Et derrière le visage de Debbie, un autre visage, comme si elles étaient deux – Mary Seddon et Debbie – à scruter les ténèbres du dehors. Et devant elles, loin à l'horizon, du côté de la Tamise, une silhouette avançait, se dirigeait vers le bassin de déversement. Debbie la suivit des yeux, deux ou trois secondes, avant de se rendre compte qu'elle suivait le néant. À présent, elle distinguait tout à fait les formes présentes dans l'obscurité. Présentes et immobiles, inanimées. Aucune silhouette, rien sinon les éléments, les nuages, le sol, les pierres.

Deux apparitions, en même temps, l'une à ses côtés dans la maison, l'autre dehors, près du fleuve. C'était une de trop. Une seule, et Debbie aurait été clouée de frayeur, tous ses repères balayés. Mais *deux*. Ça ne pouvait être qu'une réaction de son cerveau, un épuisement, une surcharge nerveuse qui opérait de légers déplacements. Une anomalie de sa vision peut-être ou plus simplement encore, une répartition de la lumière et de l'obscurité, lampe éteinte brusquement, qui produisait ces résidus lumineux. Qu'avait-elle vu, sinon un ovale lumineux – immobile – entourant, dédoublant son propre visage sur la vitre, et un trait lumineux au loin – mobile?

Debbie tendit de nouveau la main pour chercher l'interrupteur. Elle ne le trouva pas. À cet instant la panique la submergea. Elle fit une nouvelle tentative. Sa main gauche ne rencontra que le vide, même en tâtonnant de plus en plus loin. Instinctivement, elle tendit la main droite. Ses doigts rencontrèrent aussitôt l'interrupteur. Elle aurait juré, vraiment juré, qu'il y a cinq minutes c'était la main gauche qu'elle avait tendue pour éteindre. Voilà la preuve que son cerveau était fatigué – épuisé, stressé. «Musique, chaleur et *sloe gin* à volonté.» Les conseils d'Henrietta. Musique... Pour rien au monde elle n'aurait brisé le silence du cottage. Chaleur... Oui. Debbie fit le tour de tous les radiateurs. *Sloe gin*. Oui aussi. Mais tout à l'heure, juste avant de se coucher. Pour l'instant, elle devait se remettre au travail.

Était-ce Henrietta qu'elle avait vue tout à l'heure, se dirigeant vers le fleuve? À marée basse, le bassin de déversement est une immense fosse vide. Entourée de trois parois de métal. Non, il n'y avait personne. Mais si c'était elle malgré tout? Debbie essaya de se remettre au travail, comme si elle ne venait pas de voir *deux* fantômes.

Le lendemain, elle se réveilla tard, manqua son train habituel. Lorsqu'elle arriva dans la salle de conférence de Watercare, les exposés avaient commencé. Elle s'installa sur la première chaise venue, essaya de se concentrer. Au bout d'une demi-heure, elle capitula. Sortit, retourna à la gare. À midi, elle était de nouveau à Grays. Elle vérifia au Pullman et au White Hart qu'Henrietta ne s'y trouvait pas. Puis elle traversa la voie ferrée pour se diriger vers le centre-ville, la papeterie qui abritait le bureau de poste. Il lui fallait un annuaire. Quel était le nom de famille d'Henrietta? Elle ne le savait pas. Lentement, elle parcourut toutes les colonnes de la localité, à la recherche du prénom – plutôt rare aujourd'hui – d'Henrietta.
Aucune Henrietta.
Henrietta avait été mariée. Elle l'était peut-être encore. Elle était peut-être, qui sait, cachée sous l'appellation Mrs John Smith.
Ou qui sait encore, elle n'avait pas le téléphone.

Debbie sortit du magasin, retraversa la voie ferrée, retourna au White Hart. Le serveur était de nouveau un inconnu. Inutile de lui demander si la grande dame brune était passée. Debbie se réchauffa, but un double café, et ressortit. Elle voulait reprendre le train de Londres, participer aux exposés de Watercare. Après tout, c'était pour ce travail qu'elle était venue vivre ici. Ces visions noires, ces situations irréversibles. C'était sa vie, la passion qui l'animait et la guidait. *Earth is really dying.* «Nous sommes au-delà de la prévision et de la protection», lui avait dit Ewan, le premier jour. Ce qu'elle avait entendu ce matin, ce qu'elle allait entendre tout à l'heure et les jours suivants, lui donnait raison. Ewan. Si seulement il pouvait sortir de l'hôpital, revenir parmi eux.

Elle retourna à la gare. À Londres, à son travail. Et ne quitta Watercare qu'en fin d'après-midi. Épuisée, l'esprit rempli de toutes les informations désespérantes qu'elle venait d'entendre, elle fut au White Hart à l'heure habituelle. Elle était persuadée qu'Henrietta serait là. Mais non, pas d'Henrietta. «Henrietta, où êtes-vous?» Les deux personnes installées à la table voisine la regardèrent, sourcils froncés. C'était deux hommes d'une trentaine d'années à peine – en costume sombre, ce qui lui fit penser aux deux «inspecteurs». Et eux, pourquoi n'étaient-ils pas là non plus? Aucun élément rappelant

NOS AMIS DES CONFINS

le clan G.M. ne restait. Ils avaient tous disparu, les uns après les autres, même les deux inspecteurs.

Henrietta, où êtes-vous ? Ewan, vous êtes sur un lit d'hôpital, entouré de médecins intrigués par votre formule sanguine. Susan est à Harwich, ombre de sa mère, n'osant s'éloigner, la laisser seule sur le quai. Ewan et Susan, deux absents qu'elle pouvait localiser. Mais G.M. ? Où était-il, parti du jour au lendemain, sans que personne ne s'inquiète ou s'interroge ? Et Reginald, catalogué comme fugitif – qui n'a rien à fuir. Personne ne le traque, il n'a pas besoin d'avoir peur, il n'a pas d'ennemis à ses trousses, de chasseur en uniforme, pas d'ennemi mais le besoin de fuir, d'appartenir à la famille des fugitifs. Reginald, où êtes-vous ? Reginald, à qui Debbie avait si peu prêté attention, focalisée sur le duo d'excentriques G.M. et Henrietta, Reginald qui cachait ses peurs sous des abords insouciants. Reginald, où êtes-vous ? G.M., où êtes-vous ? Henrietta, où êtes-vous ? Debbie s'était mise au fond de la première salle. Face à la porte – elle ne la quittait pas des yeux – elle récitait sa litanie *où êtes-vous ?* comme si elle allait faire apparaître les invoqués. Tout le monde la regardait à la dérobée mais elle ne s'en souciait pas. Timothy aussi avait quitté Grays, avant l'arrivée de Debbie. Et Tessa. Ils avaient été les premiers à s'éloigner, à déserter. Grays était-elle menacée, ses habitants… certains d'entre eux étaient-ils mystérieusement

avertis, s'enfuyaient-ils pendant qu'il était encore temps ?
Les causes de danger ne manquaient pas ici : la ville était
cernée de dépôts de pétrole, un réservoir à gaz voisinait
avec l'école primaire. Sans oublier le fleuve, l'estuaire.
La prochaine tempête serait-elle dévastatrice ? De plus
en plus souvent, le regard de Debbie accrochait, dans
les journaux, le rappel des grandes tempêtes du passé,
janvier 1953, novembre 1965, novembre 1984... Dans
les conversations aussi : dans le train, dans les cafés. Le
souvenir des tempêtes précédentes semblait se réveiller,
la côte Est semblait se préparer.

Mais la tempête n'était pas la seule menace possible.
Nuage toxique, venu de loin, du Nord, ou de la région
même, l'estuaire, le comté de Thurrock en son entier, les
centrales « arrêtées » mais dans l'univers de la radioactivité
le sens des mots ne compte plus. « *Radioactivity – Is in
the air – For you and me...* » Explosions – pétrole ou
gaz. D'autres menaces auxquelles Debbie ne pensait pas
devaient exister encore. Ceux qui avaient senti le danger
étaient partis, certainement sans même savoir pourquoi.
Si G.M. avait été conscient de l'approche d'un danger,
il ne serait pas parti sans Henrietta. (Quant à elle, Henrietta, jamais elle n'aurait abandonné ses fantômes.)

Henrietta, où êtes-vous ?

Tous les regards étaient fixés sur Debbie. Elle ferma
les yeux, se leva, quitta le White Hart.

Il fallait commencer par la gare. Debbie monta l'escalier qui menait de la rue au quai numéro un. Elle s'assit sur l'un des bancs, essaya d'imaginer qu'elle était Henrietta. « J'ai quatre frères, l'un m'appelle, *sister, sister,* mais lequel ? » Si Henrietta a pris le train pour Londres, impossible de la retrouver.

Aurait-elle pris l'escalier qui mène de la rue à l'autre quai, celui des trains pour Tilbury ?

Debbie ferma les yeux très fort. Henrietta, où êtes-vous ? Elle imagina entendre à son tour un *sister, sister.* Comme elle était fille unique, la sensation fut étrange. *Sister, sister,* personne ne l'avait appelée ainsi, de toute sa vie. Elle se leva, se dirigea vers le guichet, ouvert jusqu'à 10 heures du soir. Deux femmes – mère et fille ? – décrivaient un homme, âge, allure, vêtements, et le guichetier, aimable, écoutait, partageait leur inquiétude mais régulièrement répétait : « Non, je ne l'ai pas vu. » Les deux femmes continuaient. La scène dura un temps infini. Calme, Debbie attendit, ou plutôt, écouta. Puis s'éloigna. Il lui semblait impossible de se présenter, de décrire *à son tour* une personne en demandant à ce même guichetier s'il ne l'avait pas vue. Les deux femmes étaient arrivées avant elle, elles étaient passées les premières, et avaient en quelque sorte pris le tour de Debbie.

Debbie quitta le petit bâtiment de la gare.

Henrietta, où êtes-vous ?

Devant elle, tout en face, l'église, les arbres, le cimetière.

Un peu plus loin, le portail « Flood Gate », le chemin de la Tamise, menant au bassin de déversement, cette immense fosse si inquiétante lorsqu'elle était vide, avec l'échelle de secours – ou simplement, d'entretien – qui paraissait minuscule, perdue dans l'immensité de la cavité.

Un peu plus loin encore, le chemin qui mène au réservoir à gaz, bordé d'un côté par un champ, terrain de jeu des fantômes d'Henrietta. Henrietta si souvent lui avait répété qu'elle se contentait de les attendre devant l'entrée de l'école primaire. « Imaginez-vous une autre ville, Debbie, où l'école des petits et un réservoir à gaz se feraient face ainsi ? » Ensuite, encerclant toute cette zone, se trouvait Devonshire Road – frontière qu'au grand jamais Henrietta n'aurait franchie.

Debbie consciencieusement prit le chemin qu'elle venait de parcourir en pensée. L'église, le cimetière, toutes les pierres, sauf une, étaient basses. Dieu merci, pas de monuments : de l'entrée il était possible de voir qu'aucune silhouette ne se cachait derrière une pierre tombale. Debbie descendit en direction de la Tamise. Les eaux étaient sombres, le silence total. Marée basse, pas de vent. Heureusement, le chemin était pavé, bordé d'un haut mur de pierre, aussi solide qu'on pouvait le rêver.

Elle avait déjà parcouru trois cents mètres lorsqu'elle réalisa qu'une personne allongée – tombée – entre les pierres tombales aurait été invisible, la nuit. Fallait-il faire demi-tour? Non, elle allait continuer, chercher tout au long du chemin, et ensuite le reparcourir en regardant plus attentivement.

Le long de la Tamise la voie est déserte. Sur l'autre rive, au loin, les éclairages des chantiers et des pylônes semblaient aussi distants que ceux d'un autre pays. Et de ce côté-ci, sur la rive de Thurrock, les rangées d'immeubles à deux étages étaient plongées dans l'obscurité. Des gens habitaient là pourtant, mais en novembre, à 8 heures, non, 9 heures maintenant, les familles semblaient déjà prêtes pour la nuit. «Venez, venez mes petits», répétait Henrietta lorsqu'elle déambulait dans la ville de Grays et Debbie, au début, se moquait d'elle. Une poule rassemblant ses poussins. C'était l'image qui se présentait à elle, les premières fois. Pardonnez-moi, Henrietta. Une femme merveilleuse, plus toute jeune, fragile et attentionnée, qui ne pouvait rentrer chez elle qu'après être allée chercher ses fantômes, voilà ce qu'était Henrietta.

«Chez elle…» L'impossibilité de trouver le lieu où habitait Henrietta faisait enrager Debbie. Ce n'était pas faute d'avoir essayé. Tous ceux qui auraient pu la renseigner étaient partis. Et tous ceux qui restaient – les serveurs du White Hart, du Pullman, les commerçants voisins de la gare – faisaient semblant de ne pas connaître Henrietta, de ne pas comprendre à qui elle faisait allusion lorsqu'elle la décrivait.

Le chemin pavé s'arrête. Un mur. À partir de là, l'obscurité est totale, et le danger d'avancer dans le vide est trop grand. Il faut faire demi-tour, ou bien prendre le passage vers la droite, qui retourne vers la ville.

Ou plutôt, qui aboutit au réservoir à gaz. Debbie continua, s'approcha. Elle passa sous un pont, à peine éclairé. Elle dépassa le réservoir, aboutit à l'école. La nuit, le terrain de jeu des fantômes d'Henrietta n'est pas pour les humains. Debbie s'arrêta devant la grille de l'école. Elle scruta l'intérieur, la cour, les vitres colorées des salles. Elle se retourna et observa l'immense panorama surnaturel, le réservoir circulaire, l'étendue vert sombre devant lui. Et continua, à intervalles réguliers, d'appeler : « Henrietta. »

Devant l'église et le cimetière, elle n'osait pas. C'est trop près de la gare, les gens auraient pu l'entendre. Et comment aurait-elle pu prononcer un nom, un prénom, à l'entrée d'un cimetière ? « Henrietta… » Comment imaginer appeler « Henrietta » sans savoir si *une autre* Henrietta n'était pas là, endormie, oubliée. Endormie, prête à être réveillée.

C'est seulement une fois arrivée le long de la Tamise que Debbie avait osé appeler, tous les cinquante mètres environ, « Henrietta ». Des fenêtres des appartements il était possible de l'apercevoir, mais de l'entendre, sûrement pas.

Devant l'école, Debbie appelle une dernière fois « Henrietta ». Soudain l'espace se remplit de voix d'enfants, rires, cris, pleurs ; rires, cris, pleurs. Ce n'est pas le moment – presque 10 heures du soir –, ce n'est pas l'endroit – c'est peut-être de toute la ville de Grays le lieu le plus désert, l'angle mort d'où rien ne se voit, ne s'entend. Ce n'est pas le moment ni l'endroit mais Debbie s'évanouit. Devant le muret de l'école, son corps glisse doucement, ses mains qui s'agrippaient aux barres de la grille s'ouvrent, lâchent prise et bientôt Debbie n'est plus qu'une forme immobile et indistincte, du même brun que le sol et le muret. Henrietta gît-elle elle aussi évanouie, oubliée, dans un autre angle mort de la ville ? La nuit de novembre recouvre l'ombre de Debbie, qui bientôt reprend conscience, les mots « Henrietta où êtes-vous ? » gravés dans son esprit. Lentement Debbie se relève. Elle s'assoit sur le muret, le dos appuyé contre le grillage. Elle n'a pas mangé depuis ? Et ces nuits d'angoisse, et cette tension accumulée, le rapport à préparer, à présenter, et l'inquiétude au sujet d'Henrietta.

De l'école, il suffisait de prendre un passage pour rejoindre London Road, la grand-route qui ramène en zone habitée. Tout dans cette ville était ainsi : une façade qui donne sur l'inhabité, l'inanimé – dépôt, bassin –, l'autre façade qui donne sur la normalité, rue, magasin, maisons, lumières.

Il restait un dernier endroit à explorer. Tout à l'heure, Debbie était passée devant sans s'arrêter. Le pub brûlé, ouvert à tous vents, vitres brisées, toit disparu. Prophétiquement nommé « The Mess », le gâchis, la pagaille. Lui aussi avait sa double face : lorsqu'on vient de la gare, on ne voit qu'un bâtiment bleu, dont on se rend bien compte qu'il est abandonné, mais on pourrait le croire en travaux, tout simplement. Mais si l'on s'en approche par le côté ou l'arrière, on voit les poutres calcinées, le vide, la destruction. Debbie s'approcha par le côté, et à voix haute appela : « Henrietta, Henrietta ! » Elle n'y croyait plus, mais elle se força, par acquit de conscience. Elle ne s'arrêta qu'une seconde. Elle pressa le pas, repassa devant l'église, traversa la petite place. La gare était encore allumée, le quai pour Tilbury désert, mais celui de Londres plutôt animé. Debbie s'installa sur un des bancs. La douceur de l'air lui fit penser à Ewan. « Vous avez remarqué, le temps s'est adouci. » Le 9 h 57 en provenance de Londres allait arriver. Et si Henrietta en descendait, tout heureuse de sa visite à son frère, et de retrouver Grays et ses fantômes ? Le train entra en gare. Juste devant Debbie, la porte d'un wagon s'ouvrit, une grande femme brune en descendit, leurs regards se croisèrent. Cette femme aurait pu être la sœur d'Henrietta. Mais Henrietta n'a que des frères. Quatre frères. La vie doit être agréable avec quatre frères. Ferai-je un jour leur connaissance ? Henrietta avait parlé, il n'y a pas longtemps (– avant-hier ?) d'une grande fête. Pour faire revenir tous les absents, réunir les séparés. Debbie se leva, quitta de nouveau la gare – pour la quatrième, cinquième fois aujourd'hui ? Elle prit le chemin du cottage Seddon. La lumière était allumée. Un instant, Debbie crut qu'Henrietta était là, tout simplement, chez elle, en train de l'attendre. Elle poussa la porte, faillit demander « Henrietta, vous êtes là ? » mais finalement se tut. Ça devait être elle, Debbie, qui dans l'affolement de son départ tout à l'heure – elle était en retard – avait oublié d'éteindre.

— Toutes les nuits, je rêvais qu'Henrietta tombait. Bien sûr, dans mon rêve ce n'était pas vraiment Henrietta mais c'était elle quand même, vous voyez ce que je veux dire. Le plus souvent c'était sur ce chemin avec ces bassins de déversement et ces marches si traîtres qui donnent sur le vide. Mais quelquefois c'était tout simplement dans la rue. Et chaque fois, je me réveillais en sursaut. Vous êtes de la famille?

— Non, pas du tout.

— Je croyais. Excusez-moi, j'aperçois un ami.

Inconnue numéro un.

La salle était immense, et pourtant comble. *Salle des fêtes* de Grays, tout à côté de l'église. Debbie se tenait dans un coin, les yeux fixés sur un petit groupe, debout, immobile. Elle avait les larmes aux yeux, et tant de gens passaient devant elle, un verre à la main et l'air tout guilleret. Il n'y avait pas d'autre mot. Seuls les quatre hommes, à quelques mètres d'elle, dans un autre angle de la pièce, semblaient pleurer Henrietta.

– Vous devriez vous asseoir, vous êtes toute pâle. Qui aurait cru que cette chère Henrietta finirait ainsi. Elle qui détestait rester enfermée. Toujours dehors, par n'importe quel temps. Tu finiras par ressembler à une vagabonde, tu en prends le chemin, c'est ce que je lui disais. Oh, pardon. Vous êtes de la famille ?
  – En quelque sorte, oui.
  Inconnue numéro deux.

– Cela fait un bon moment que j'attends de venir vous saluer. Vous ne me connaissez pas. Je suis Timothy. Je tiens habituellement le Theobald. On m'a tellement parlé de vous, je sais que vous aimiez beaucoup Henrietta. Le pub ne sera plus jamais le même sans elle. C'est la première fois que je m'absente aussi longtemps. Oh, je ne dis pas que je suis responsable ou quoi que ce soit. Je veux simplement dire, ça fait bizarre. Je pars l'esprit tranquille, ils sont tous là, je sais qu'avec Reginald l'ambiance est assurée. Je prends des nouvelles régulièrement. Je suis à Londres – eh oui, je n'étais pas loin ! – mais je sais qu'à Grays la vie continue, et puis, un soir, plus rien. Reginald ne répond pas au téléphone. Ni le lendemain. J'essaie à l'agence, chez G.M., je laisse des messages. Ewan et Henrietta n'ont pas le téléphone.

Ewan à cause des ondes, Henrietta pour ne pas faire sursauter ses fantômes avec la sonnerie. Pauvre Henrietta. C'était son obsession. Ne pas *les* déranger. Enfin, vous le savez. Elle vous avait adoptée je crois. Elle n'accordait pas facilement son amitié. Elle était très méfiante, pas pour elle mais pour *eux*. Eux, toujours eux! Elle ne serait pas devenue l'amie d'une personne qui se serait moquée d'eux. Mais vous... Ce n'était pas le cas n'est-ce pas? Regardez tous ces gens à côté, ils attendent, ils veulent vous parler semble-t-il. À tout à l'heure, nous nous retrouvons tous au Theobald. Enfin, pas tous: la famille, les proches.

Timothy, absent revenu.

– Vous êtes Debbie n'est-ce pas? J'étais curieuse de faire votre connaissance. Je suis... Tessa. Tout cela est bien triste. J'avais envie de revenir à Grays, voir tous mes amis – qui sont les vôtres maintenant, mais je remettais au lendemain. Pourtant, je ne suis pas loin, une demi-heure de train seulement. Et maintenant Henrietta est morte. Et d'une manière si bête – rater une marche. Nous n'avions pas des rapports faciles toutes les deux, elle était plutôt possessive. Vis-à-vis de ses frères. Surtout de G.M. C'est bien simple, si je restais plus de cinq minutes avec G.M., elle s'imaginait que je voulais... l'accaparer. Il est vrai que j'apprécie beaucoup sa compagnie. Son humour. Sa gentillesse. Son originalité. Son intelligence. Mais de là à imaginer que je voulais… l'accaparer. Pauvre G.M. Regardez-le. Ça me fait mal au cœur de le voir comme ça. Cela dit, ça me fait mal au cœur de les voir ainsi tous les quatre, les quatre frères, G.M., Ewan, John et Wesley.

Debbie n'écoutait plus. Elle fixait le groupe des quatre hommes debout, immobiles, silencieux. G.M., Ewan, John, Wesley. Les quatre frères d'Henrietta. Bien sûr. À présent cela lui semblait évident. G.M. et Henrietta, elle s'était posé la question : frère et sœur ? Elle ne pouvait détacher son regard des quatre silhouettes.

— Pardonnez-moi, vous êtes bien Debbie ?
Tessa avait laissé la place à une autre femme du même âge – quarante-cinq ans ?
— Je suis Selma Seddon. La vie est curieuse, non ? Je ne viens jamais en Angleterre. Je déteste quitter New York, c'est presque de la superstition. Que dis-je, presque ! C'est totalement de la superstition. Comme si la ville allait disparaître pendant mon absence… Quoi qu'il en soit, j'avais affaire à Londres. Alors une fois là, je me suis dit : et si je faisais un petit tour à Grays ? Je ne préviens personne, je descends du train. Je vois des petits cartons blancs, partout, avec marqué dessus « Henrietta », et une flèche pour indiquer la direction. Je ne me pose pas trop de questions, je me dis juste « encore une de

leurs folies». Je ne m'inquiète pas... Pour tout vous avouer j'ai pensé à un mariage. Bien sûr dans ce cas on met plutôt les deux prénoms «Henrietta et Leonard», ou bien «Henrietta et Philip». Mais sur le moment je n'y ai pas pensé. Je suis passée à l'agence, je voulais voir Susan. Quand je viens à Grays, je commence toujours par Susan. Elle fait, comment dire... elle fait en quelque sorte la transition entre la normalité et leur folie à tous. Transition, tampon, plaque tournante. J'arrive devant l'agence: fermée. Et ces cartons fléchés encore. Je les ai donc suivis, et j'arrive ici. Trop tard pour l'enterrement, hélas – j'entre, je vois tous ces gens réunis en hommage à Henrietta. Et ses pauvres frères! Avec la mort d'Henrietta, c'est toute la famille qui disparaît. *Ils* ne s'en remettront pas. Vous les connaissez depuis peu, vous ne pouvez peut-être pas vous rendre compte. Vous aurez un moment pour venir me voir tout à l'heure? Je suis à West Thurrock, au Premier Travel Inn, il n'est pas question pour moi de dormir au cottage bien sûr. Je crois que vous préparez une étude sur ma mère? Une brillante universitaire new-yorkaise, m'a-t-on dit. Je suis très, très heureuse de ce projet. Mary Seddon est au purgatoire, selon l'expression consacrée. Et tout ce qui peut l'en faire sortir est le bienvenu. Mais ce n'est ni le moment ni l'endroit. Ici, nous nous devons à Henrietta n'est-ce pas...

— Vous ne leur en voulez pas, Debbie?

Susan était tout à la fois resplendissante et effondrée. Le teint hâlé – Harwich n'était pourtant qu'à quelques dizaines de kilomètres de Grays, baignée elle aussi par le seul soleil – hivernal – de la mer du Nord. Rajeunie, mais des cernes gris et le regard d'une droguée : le manque de sommeil, le chagrin.

— Le jour de votre venue à Grays, j'ai failli vous dire : sans doute croiserez-vous quelques plaisantins, mais je n'ai rien dit finalement. Je pensais vous parler d'eux en vous faisant visiter le cottage Seddon, *le vrai*. Il ne faut pas leur en vouloir. Ils sont restés de grands enfants – cinq grands enfants. Ceux qui s'éloignaient – jamais très longtemps – d'ici, parvenaient plus ou moins à mener une existence normale. Mais ceux qui restaient… ils n'avaient de cesse d'imaginer une nouvelle plaisanterie. Quelquefois, aux dépens de l'un d'entre eux. Ainsi, l'année dernière, Wesley… Je crois que c'était le plus souvent G.M. qui avait l'idée de départ, et Henrietta imaginait les détails, organisait la mise en œuvre. G.M. et Henrietta… Tous les cinq sont très liés, mais G.M. et Henrietta, on ne peut imaginer l'un sans l'autre… Quant à notre histoire, je veux dire : votre cottage… Je suis sûre qu'ils ne pensaient pas à mal. En fait, c'est de moi qu'ils ont voulu se moquer. Le cottage Seddon ! J'étais si fière de m'en occuper ! J'en rebattais les oreilles de tout mon entourage, à l'agence, au Theobald. J'étais heureuse d'avoir enfin le feu vert pour le louer. Si vous saviez comme j'avais tout préparé! Les poèmes de Mary Seddon... Je les avais photocopiés, encadrés, disposés subtilement dans toute la maison. Et je prévoyais de grandes choses. J'avais l'intention d'inventer un « Mary Seddon Walk » en partant du cottage. G.M. et Henrietta m'écoutaient patiemment, mais... Lorsqu'ils ont vu que, le jour même où vous deviez visiter le cottage Seddon, je partais à Harwich, ils n'ont pas pu résister à la tentation. Une ultime plaisanterie. Bien entendu, ils ne savaient pas que ce serait l'ultime. G.M. est le directeur de l'agence, il a des dizaines de maisons vides à sa disposition. Il faut dire qu'ils se sont bien organisés. En quelques heures, entre le moment où j'ai annoncé à G.M. que je devais partir, et celui de votre rendez-vous à l'agence pour la visite du cottage, ils ont tout improvisé et je suppose que lorsque G.M. vous a fait visiter ce qu'il a appelé le cottage Seddon, tout était prêt, la maison accueillante, etc. Enfin, c'est une plaisanterie qui ne porte pas à conséquence. Ce sont vraiment des enfants. Cela vous était complètement égal, habiter ou non le cottage Seddon. Vous êtes américaine, vous êtes chimiste, Mary Seddon n'est rien pour vous, tout ce dont vous aviez besoin, c'est d'un toit en rentrant de votre travail. Ce que je me demande, c'est ce qu'ils avaient l'intention de faire à mon retour, car ils savent bien que chaque année mon absence ne dure que quelques semaines. Peut-être savaient-ils après tout que la fin approchait, peut-être ne se souciaient-ils pas du long terme... Ewan... Ils l'ont laissé sortir aujourd'hui mais regardez-le : un zombie. Et G.M., pire encore. Et John, et Wesley. La famille est finie. Ils sont morts tous les cinq.

La salle ne désemplissait pas. Selma Seddon et Tessa s'étaient assises dans un coin, et échangeaient des confidences. Le regard de Tessa ne quittait jamais plus de dix secondes G.M. Les quatre frères ne bougeaient pas, quatre silhouettes de cire.

Susan était toujours près de Debbie, et gardait le silence à présent. Elle attendait sans doute une réaction, « Oh, ne vous en faites pas, cela n'a aucune importance pour moi, cottage Seddon ou non. » Mais Debbie n'était pas prête encore à prononcer ces mots. La présence de Mary Seddon dans chaque pièce, les impressions, les sensations. Les poèmes lus, et les lettres, le visage deviné, la complicité. Du vent, de l'illusion tout cela... Susan finit par s'éloigner, laissant la place à une nouvelle inconnue.

— Vous êtes la fille d'Henrietta ? Vous lui ressemblez tellement, impossible de se tromper. Bien sûr, vous êtes un peu moins grande, un peu moins brune, mais vous avez hérité de... oh, c'est indéfinissable. Un air de famille, c'est tout. Vous êtes toute pâle, vous devriez vous asseoir. J'aimais beaucoup votre mère. Elle était un peu particulière, mais si généreuse. J'ai assisté à son Ghost Walk, tout au début. J'ai été impressionnée. C'est une manière intéressante de nous présenter la ville. Les rues, les endroits que l'on croit connaître. Après son Ghost Walk, tout m'a semblé différent à Grays. C'est même un peu effrayant tout cela. Vous allez... vous allez prendre la relève ?

Bénis soient les bavards qui n'attendent pas de réponse à leurs questions.

— Debbie, vous devriez manger quelque chose. Tenez, c'est moi qui les ai préparés ce matin. C'est drôle, vous savez, je ne savais toujours pas si j'allais revenir ou non. La vie à Londres me convenait. J'imaginais que Reginald allait rester. Je savais que les clients étaient contents de lui. À présent je crois que... Non, en fait je ne sais pas. Vivre ici sans Henrietta. Et sans G.M., car ce qu'il reste de G.M., ce n'est plus G.M. Vraiment je ne sais pas ce que je dois faire. Le moment est mal venu de penser à soi-même ? Tout à l'heure, au Theobald, nous serons tous là, ce sera une sorte de fête. Combien de temps faut-il pour devenir un fantôme ? Henrietta sera parmi nous, mais sera-t-elle déjà un fantôme ?

Debbie avait accepté le verre et le petit sandwich que Timothy lui avait tendus. Elle avait mangé, bu. Et elle s'était résignée à s'asseoir, comme tout le monde le lui conseillait depuis tout à l'heure, même si elle n'aimait pas l'idée d'être assise, à cette première réunion suivant l'enterrement d'Henrietta. Une inconnue, la énième inconnue, lui tendit de nouveau à boire, à manger. Les forces lui revenaient peu à peu. Le brouhaha était de plus en plus élevé, l'atmosphère irrespirable. Quelqu'un ouvrit une fenêtre. Debbie se releva, s'en approcha. Il n'était que 5 heures, mais 5 heures en novembre: la nuit noire. Les vitraux de l'église étaient recouverts de mystérieux tags – gris sur gris – qui, curieusement, leur allaient bien. La gare, les pierres autour de l'église, tout était baigné d'une lumière vert pâle. Debbie traversa la pièce, se retrouva près des quatre frères. Là, les fenêtres donnaient sur la rue. Elle en ouvrit une, respira longuement l'air tiède. Et vit la longue silhouette qui se dirigeait vers le passage à niveau.

Debbie la regarda s'éloigner. Puis se tourna de nouveau du côté de la salle, du brouhaha. Combien de temps faut-il pour devenir un fantôme? C'est instantané, mon cher Timothy, c'est instantané. Enfin, disons: très rapide.

Debbie s'approcha des quatre frères. Elle tendit la main pour toucher le bras de G.M. Il la regarda. Elle hésita. Devait-elle lui dire qu'elle venait de voir Henrietta? L'amie des fantômes, devenue fantôme.

Un réservoir à gaz explose près de Londres

Un gigantesque couloir de fumée noire continuait de grimper vers le ciel, hier soir, au-dessus du réservoir à gaz de Grays, comté de Thurrock, à une trentaine de kilomètres à l'est de Londres. L'explosion a eu lieu peu après 2 heures de l'après-midi, provoquant un très violent incendie, et tuant deux enfants, sur le terrain de jeu jouxtant le réservoir. Soixante-treize personnes ont été blessées, dont quarante-cinq très sérieusement, selon le bilan dressé en fin d'après-midi.

Toutes les maisons qui cernent le site ont été dévastées. Les autorités ont conseillé aux habitants proches de Grays de fermer soigneusement portes et fenêtres ou de quitter les lieux pour éviter tout problème respiratoire. Deux mille personnes ont été évacuées. Des témoins ont entendu le bruit de la déflagration jusqu'à Londres, et dans de nombreuses villes de l'Essex et du Kent.

Ce réservoir, géré par le groupe T*, voisinait avec l'école primaire Stifford. Les enfants qui déjeunent à la cantine jouent quotidiennement, après le repas, sur le terrain de jeu adjacent. En cette journée ensoleillée de novembre, douze enfants jouaient là. À 2 heures moins le quart, ils ont « vu une grande dame brune ». « Elle est venue nous dire de la suivre », raconte Matilda, neuf ans. Docilement, les enfants ont marché à sa suite jusqu'aux berges de la Tamise, puis se sont rassemblés devant le bâtiment de la gare où la « dame brune » leur a demandé d'attendre. Puis elle a disparu. Seuls deux enfants, les jumeaux Miles et Flora W., ont trouvé la mort sur le terrain de jeu. « Ils n'ont pas voulu suivre la dame brune, et pourtant, ce sont eux qui l'ont vue les premiers, nous dit encore Matilda. Elle avait l'air timide, comme si elle n'osait pas s'approcher, mais on sentait qu'elle voulait à tout prix qu'on vienne avec elle. »

Les enfants restés à l'intérieur du bâtiment ne souffrent que de blessures légères et de problèmes respiratoires. Même si, vu le caractère instantané d'une explosion, la présence des deux institutrices n'aurait été d'aucune utilité, on peut s'étonner qu'elles aient laissé ces douze enfants jouer dehors sans surveillance, mais, grâce à cette dame brune, que les autorités de Grays appellent à se faire connaître, l'ampleur du drame a été limitée. Les habitants de Grays « avaient oublié la menace représentée par ce réservoir, appelé ici "la cloche à gaz", qui depuis si longtemps fait partie de leur environnement familier ».

The Times, le 30 novembre 2005.

ÉCHOS

On trouvera dans *Nos amis des confins* des échos du roman de Margaret Kennedy *La Fête* (1949) et du récit de W.G. Sebald *Les Anneaux de Saturne* (1995).

Le désespéré qui, en 1972, chante « Earth is really dying » : David Bowie, *Five years*.

REMERCIEMENTS

L'auteur tient à remercier le Centre national du livre ainsi que l'irremplaçable maman d'Elsa.

DU MÊME AUTEUR

Chercher sa demeure
1992, Gallimard, et 1994, coll. « Folio »

Haut Lieu
1994, Gallimard

Sous quelle étoile
1995, Gallimard

La terre des morts est lointaine, Sylvia Plath
1996, Gallimard, coll. « L'un et l'autre »

L'Inquiétude
1998, D.D.B.

L'Amour même
1998, Gallimard, coll. « L'un et l'autre »

La Dame de Pétrarque
2000, Gallimard

Lost
2001, Gallimard, coll. « L'un et l'autre »

Chemin de croix
2004, La Table ronde
accompagné de 15 encres aquarellées de J.-C. Pirotte

Le Rêveur d'Etueffont
2005, Virgile, coll. « Suite de Suites »

L'Ami invisible
2006, La Table ronde, coll. « L'usage des jours »

Qui est Memory?
2006, Gallimard

RÉALISATION : PAO ÉDITIONS DU SEUIL
IMPRESSION : CPI FIRMIN-DIDOT À MESNIL-SUR-L'ESTRÉE
DÉPÔT LÉGAL : AVRIL 2009. N° 99041 (94396)
IMPRIMÉ EN FRANCE